★《A Beautiful Lightning》2019年、420×420mm、アクリル / ウッドパネル
★（表紙）《争闘と出くわした日》2019年、652×530mm、アクリル・胡粉 / キャンバス

UEDA Fuco

上田　風子

◉文＝沙月樹 京

水色や蜜色などの色彩表現が醸す
現実と幻想が混ざり合う世界

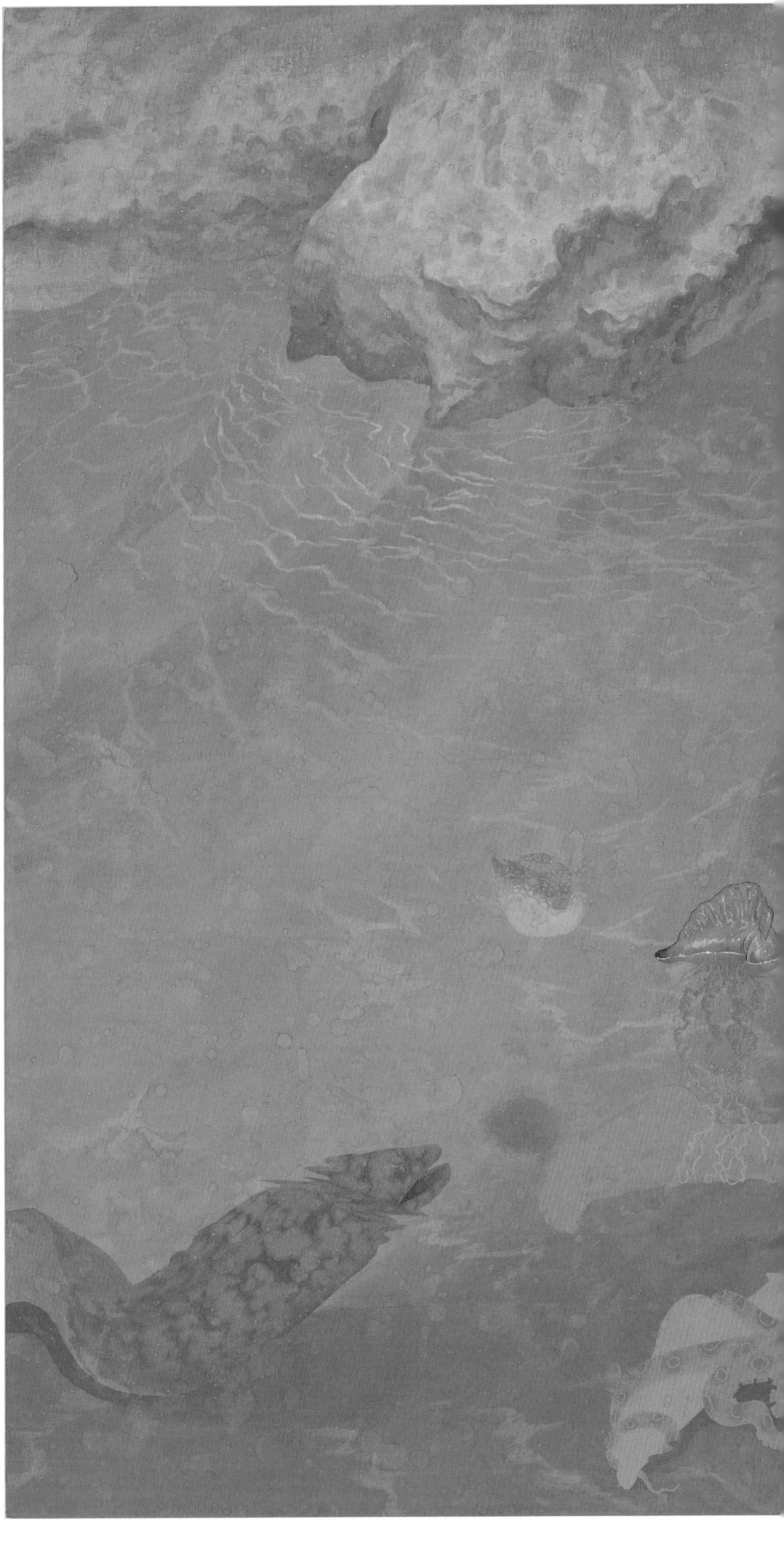

★《仲良くできた日》2019年、
802×1000mm、アクリル・胡粉 / キャンバス

★《夢見るようにまどろんだ日》2019年、455×333mm、アクリル・胡粉 / キャンバス

★《うまく踊れなかった日》2019年、350×270mm、アクリル・胡粉 / キャンバス

★《受けいれられた日》2019年、270×350mm、アクリル・胡粉 / キャンバス

★《ドローイング 栄楽殿》2015年、235×205mm、鉛筆 / 紙

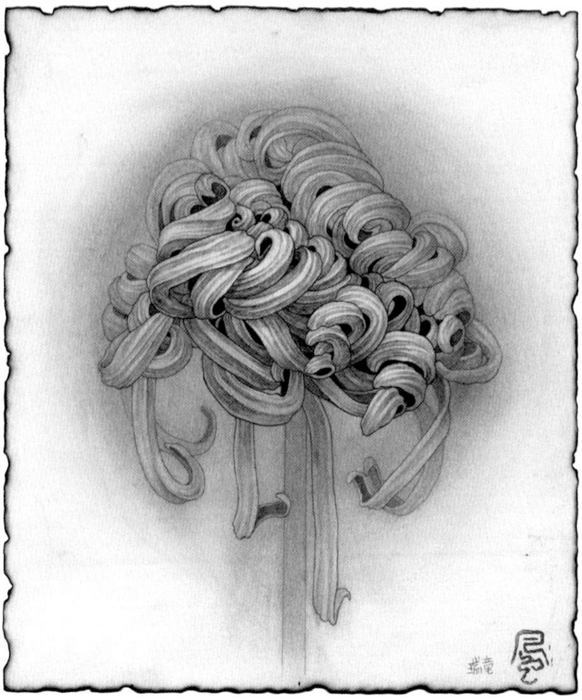

★《ドローイング 瑞竜》2015年、235×205mm、鉛筆 / 紙

★《雷が鳴った日》2019年、274×220mm、アクリル・胡粉 / キャンバス

★《雨が降った日（アザミ）》2019年、300×300mm、アクリル・胡粉 / キャンバス

★《雨が降った日（タチアオイ）》2019年、300×300mm、アクリル・胡粉 / キャンバス

幽明の境界のほつれ目から
迷い込んだ世界で
ひとり奔放に遊ぶ少女

★《To fall asleep》2018年、530×652mm、アクリル・胡粉 / キャンバス

上田風子は東京工芸大学の学部在学中からグラフィックアート「ひとつぼ展」に入選するなど注目され始め、学部を卒業する2001年に初個展。大学院を修了した03年から08年にかけては年1〜2回個展を開いていたが、その後は海外での個展やグループ展が増えていく。昨年、東京・銀座のGallery MUMONで開催された個展は、国内では6年ぶりとなるものだった。

上田の初個展で展示されたのは、「学校シリーズ」と称される、学校を舞台に少女たちが少々奇矯な遊戯に耽けているさまを描いた作品群だった（トーキングヘッズ叢書〈TH Seires〉No.43「秘密のスクールデイズ」にも9点ほど掲載）。その、ときにエロティック、ときにシュールな情景は、少女における、暴力性さえ秘めたイノセンスな奔放さをあぶり出した。影になる部分を水色で塗るなど、特徴的な色彩表現は当時からすでに確立されている。

影を鮮烈な水色で表現するやり方は、上田の作品が少女の隠された部分（つまり、影）に光を当て、白日のもとに浮かび上がらせていることの暗喩にもなっていると言えるだろう。また同時に、その世界においては、明と暗、現実と幻想が同等の輝度をもって混在していることの象徴でもあると言えるかもしれない。

上田が2011年に出版した作品集のタイトルは「LUCID DREAM」だった。日本語訳すれば「明晰夢」であり、夢を見ていることを自覚しながら見る夢のことである。現実と幻想が混ざり合う上田の世界を見事に言い表した言葉だ。そしてその上田ならではの幻想性の創出に重要な役割を担っているのが、水色をはじめとする色彩表現なのである。

ここに掲載したGallery MUMONの個展でも、もちろんその色彩表現は健在だったが、藤田嗣治やバルテュス、アルノルト・ベックリンなどの作品を借用するなど、ユーモラスさも漂わせた作品が目に付き、これまでとは少々違う世界を垣間見させてくれた。多くに「〜〜した日」という形のタイトルが付けられ、これらは、少女の幻想世界での冒険を記録した絵日記のようなものなのかもしれない。少女が、風景の中の点景のように小さく描かれたり、靄か何かの向こう霞んで描かれたりすることも、これまでの上田にはあまり見られなかったもので、今回は少女そのものよりも、異質な世界の空気感を描きたかったのかもしれない。

上田はこの個展のステートメントにおいて、現世とあの世との幽明の境界のほつれ目を日々の日常の中にみつける癖がついてしまっている、という旨のことを記している。そのほつれ目の向こうに垣間見えるのは、冥途。ちなみに上田が好んで描く菊もよく墓に供えられる花であり、そこからも上田の作品と冥界との連関を読み取ることができるかもしれない。

今回描かれた「異質な世界」も「冥界」に通じるものだろう。だがそこには死の暗さはなく、逆に楽しげにはしゃいでいるように見えるところが、上田の描く少女の無敵なイノセンスだと言える。（沙月樹京）

★上田風子作品集「LUCID DREAM」（芸術新聞社）
※右の書影は特装版で、B2折込ポスターカバー付き
定価本体2800円
特装版の問合せは上田風子のサイトまで
http://www.fucoueda.com
（特装版は書店等での取り扱いはありません）

※上田風子個展「うたかた」は、2019年9月14日〜10月5日に、東京・銀座のGallery MUMONにて開催された。

TAKADA Minae

高田　美苗

◉写真＝田中 流（10頁以外）／文＝沙月樹 京

★《一角獣と少女》2019年、200×200mm、混合技法（アルキド樹脂絵具・油彩・板）

★《コーカスレース》2019年、直径270mm、混合技法（アルキド樹脂絵具・油彩・板）
以降の写真はいずれも、ギャラリー オル・テールでの展示風景

幻想の箱庭の中で
異界を夢見続ける
少女たち

★《サイクロプスと少女》2020年、
200×200mm、混合技法（アルキド樹脂絵具・油彩・板）

★《遠い祈り》174×420mm、銅版画

★《冥界のアリス》2019年、150×452mm、混合技法（アルキド樹脂絵具・油彩・板）

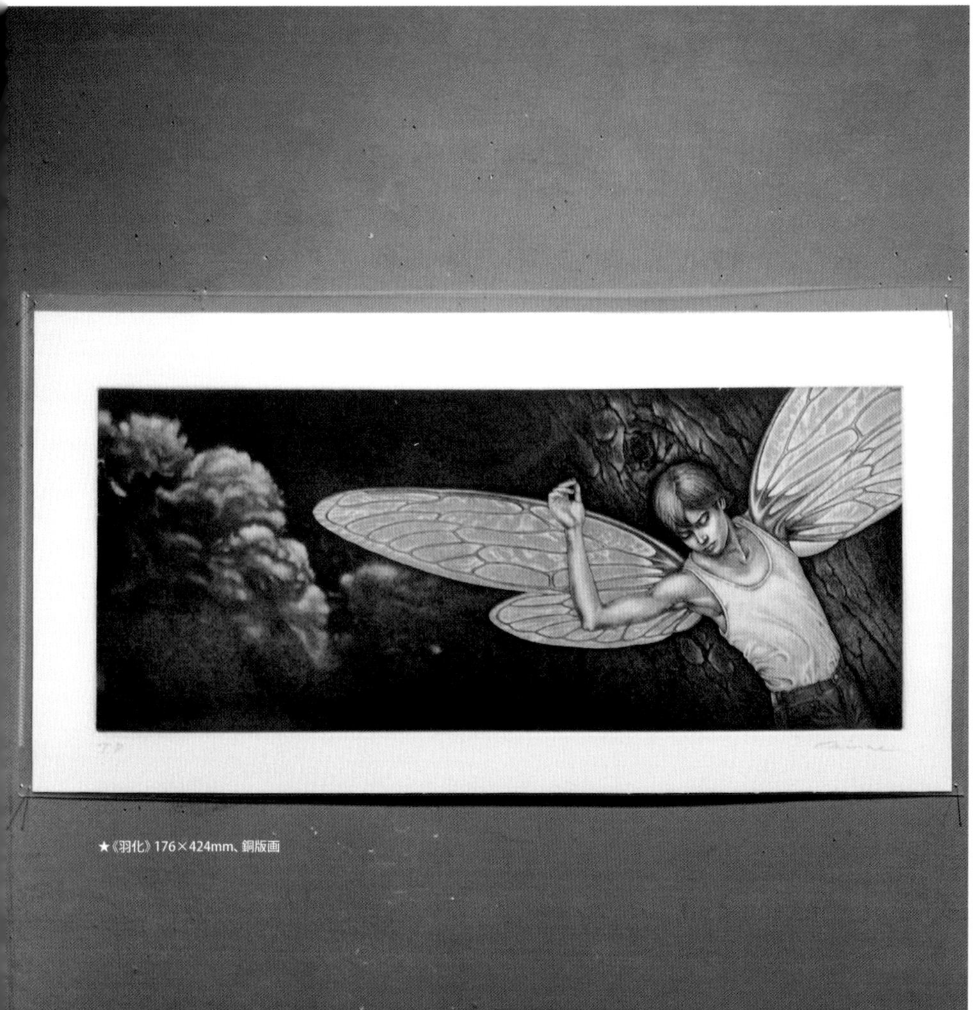
★《羽化》176×424mm、銅版画

★《ここに、ひとつ……》2010年、352×215mm、銅版画

★《親指姫》
180×140mm、油彩・キャンバス

★《夏の花》2019年、直径110mm、
混合技法（アルキド樹脂絵具・油彩・板）

★《カクレ》2019年、98×98mm、
混合技法（アルキド樹脂絵具・油彩・板）

★《ロザリア》2018年、約375mm、樹脂粘土・グラスアイ・布等

★《リシカ》2015年、約600mm、樹脂粘土・グラスアイ・布等

★《月の瞼》2019年、410×606mm、混合技法（アルキド樹脂絵具・油彩・麻紙ボード）

死と寄り添い
永遠に幻想の世界に
生き続ける少女

高田美苗の画集『箱庭のアリス』がこの3月に発売された。高田のことを長く知る北見隆が解説を寄せていて、それによると、高田はサンリオに勤めていた1980年代から「詩とメルヘン」や「イラストレ」などにイラストを寄せていたという。その後、建石修志に擬古典的な混合技法を、浅野勝美に銅版画を学び、そのうえ独学で人形を制作するなど、実にさまざまな表現を試みている。北見隆に習って絵画の額縁さえ手作りすることもあり、その器用さと貪欲さには感嘆させられる。

そうした多様な表現方法を用いながらも、高田が主に描くのは少女だ。しかも幻想の世界に住まう少女である。だが幻想といってもその世界は、おとぎ話のような夢の国とは少々異なる。

画集には、北見の他に建石修志も文章を寄せているが、奇しくも両者とも同じ特質を言い当てている。

すなわち建石は、高田の描く「思索的な少女」の「内面の夢幻世界」に言及した上で、その少女は「死を傍らに隠し持」っていることを指摘している。北見も、高田は「少女画には似つかわしくない異物とも言えるモチーフ」を描くとし、「この作品集においても骸骨に寄り添う幼気な少女画のシリーズにその特徴を見る事が出来る」と綴り、最後は「高田さんのこの庭には」「冥界に繋がるウサギの穴が空けられている」と、ウィットで締めているのだ。

そう、「死」と「冥界」。高田の描く少女

には、死の影が付きまとう。画集の表紙を飾る作品《一角獣と少女》も、一角獣は骸骨として描かれているのである。昨年12月にギャラリー オル・テールで開催された個展のメインヴィジュアルとなった作品《月の瞼》においては、よく見ると少女の足が異形と化しており、やはり少女は冥界に似た世界を夢想しているのではないかと想像させる。さらに付け加えるなら、展示されていた人形も箱に入れられ、それは棺のようだ。

だが、死に抱かれた高田美苗の少女たちは、屍となって腐敗していくのだろうか……。おそらくそうではない。骸骨などの死の表象は、少女の永遠性の暗喩なのではなかろうか。少女がその姿のまま永遠に少女であってほしい、その願いのもとに時間を凍結する――つまり高田の作品にあるのは、時間の死なのだ。

そう考えれば、高田が人形を制作する理由も分かるだろう。人形こそその姿を永遠に留める、永遠の時間の中に生き続ける象徴的な存在だからだ。

（沙月樹京）

★高田美苗 作品集「箱庭のアリス」
2020年3月24日発売
B5判・64頁・ハードカバー
税別2700円
発行：アトリエサード
発売：書苑新社
詳細は http://www.a-third.com/

★作品集出版記念展（個展）
2020年6月12日（金）～27日（土）
日・月休、13:00～19:00
場所：東京・八丁堀 アート★アイガ
Tel.050-3405-7096
http://www.artaiga.com/

※その他の展示予定
▽建石修志主宰「鉛筆派展」
2020年4月23日（木）～28日（火）
場所：東京・国立 コート・ギャラリー国立
▽個展／2020年12月5日（土）～18日（金）
場所：東京・銀座 青木画廊

◉文＝沙月樹京

開けられた穴が少女の内面とその空虚を暗示する

★《蕾の中に棲まうものたち／ Lovers eye》2019年、25.7×18.2cm、アクリル・綿布

HAMAGUCHI Mao

濵口　真央

★《蕾の中に棲まうものたち／初月》2019年、42×29.7cm、アクリル・綿布

★《drop》2018年、22.7×15.8cm、アクリル・木製パネル

★（左頁）《Passion Flower》2019年、86×46cm、アクリル・綿布

★《シャム双天使》2019年、24×30cm、アクリル・キャンバス

★《蝶の標本／オオムラサキ》2019年、12×18cm、アクリル・キャンバス

★《蝶の標本／オオゴマダラ》2019年、12×18cm、アクリル・キャンバス

★《安息をII》2016年、53×53cm、アクリル・綿布

★《箱庭の蝶IV》2019年、
89.4×145.5cm、アクリル・綿布

★《密談》2019年、26.3×30cm、アクリル・綿布

★《蜜の匂い》2017年、30×30cm、アクリル・綿布

★《Sleeping Beauty》2013年、91×116.7cm、アクリル・綿布

繊細な美を湛えた亡き骸として無我の境地をさまよう少女たち

漆黒の闇の中に5人の少女——いや彼女らは、ひとりの少女の分身かもしれない。いずれも同じ、上品で清楚な黒いドレスと、黒い靴。目を閉じて思い思いのポーズを取り、そのポーズと襟元の白いレースの飾りの違いが、それぞれの少女の中の異なった心象を暗示しているように思う——24～25頁に掲載した大作《箱庭の蝶Ⅳ》の印象だ。

そしてこの作品は、ドレスが背景の黒と同化しているとともに、ドレスの裾のカーブが繋がってひとつの波形を形作り、ポーズの変化のリズミカルさと相まって、画面全体がまるで楽譜のようでもある。さらに言えば、ひとりの少女の心の機微の移ろいが、横方向を時間軸として多重露光されたものだと、見ることもできるのではないか。

濱口真央が、この作品の中央の少女の胸の部分、レースの狭間から白い蝶が舞い出ている部分をクローズアップしてツイッターに投稿したところ、多くの反響があった。確かにこの胸の部分には、少女の内面でかすかに揺らぐ心情を繊細に描き出す、濱口の特質が集約されているように思う。デリケートな美しさを持つレース、それが覆う胸、つまり心。しかもその胸の中はがらんどうで、蝶という、重力を感じさせず軽やかに舞う存在で占められている。

その美と空虚さの同居が、濱口ならではの少女の、無我の境地を表象していると言えよう。濱口の作品では、雑念や迷い、怒りなどの感情は押し殺されている。少女は安寧な箱庭で、穏やかにひとりの時間を過ごし続ける。しかも濱口は近年、背景に具体的な風景を描くことが少なくなり、そのことによって情景が、より箱庭的に見えるようになってきている。

そして少女の存在の空虚さは、ある意味、亡き骸のイメージにも通じ、それゆえ濱口の作品にはどこか死の香りが漂っていると言えるだろう。

中央に丸い穴が開けられた《蕾の中に棲まうものたち／Lovers eye》《蕾の中に棲まうものたち／初月》では、その穴の中の絵に表象されているのは、押し殺された感情、もしくは大切に心に仕舞われた情景なのだろう。穴の周囲は美麗に装飾され、穴の中の情景が大切なものであることを示唆する。一方でその穴を、心に空いた穴だと見るとするなら、やはりここでも、空虚さがつきまとう。

昨年11月にデザインフェスタギャラリーで個展を開いた濱口だが、4月には中井結との2人展があり、個展では未完成として展示されていた作品も完成作がお披露目されるという。鉛筆画の中井とは手法は異なるが、いずれも儚げな少女への幻想を描く。ぜひ足を運んでみたい。（沙月樹京）

※濱口真央 個展「箱庭の蝶Ⅳ」は、2019年11月2日～6日に、東京・原宿のデザインフェスタギャラリーにて開催された。

★濱口真央・中井結 二人展「蝶葬の日々Ⅳ」＝2020年4月16日（木）～26日（日） 火・水曜休、13:00～18:30（最終日～17:00）
場所／東京・曳舟 gallery hydrangea Tel.03-3611-0336 https://gallery-hydrangea.shopinfo.jp/

★中井結の作品／中井結の作品は、ExtrART file.19・file.03（濱口真央との2人展）、トーキングヘッズ叢書（TH Series）No.55「黒と白の輪舞曲」などに掲載

◉文＝沙月樹京

★《しんじゃ》2019年、190×333mm、墨・胡粉・岩・顔彩・金銀泥・金箔 / 和紙

★《はんにゃ》2019年、190×333mm、墨・胡粉・岩・顔彩・金銀泥 / 和紙

OKUDA Magane

奥田　鉄

日本の薄暗く
湿度の高い風土に
根ざした絵を描く

★《なまなり》2019年、190×333mm、墨・胡粉・岩・顔彩・アルミ箔・金銀泥 / 和紙

★《芥》2019年、410×242mm、墨・胡粉・岩・顔彩 / 和紙

★《此岸の澱》2019年、410×318mm、墨・胡粉・岩・顔彩・アルミ箔 / 和紙

★《鬱憤果》2019年、190×333mm、墨・胡粉・岩・顔彩・真鍮粉・柿渋 / 和紙

★《Layer—蔭さす部屋—》2019年、380×455mm、墨・胡粉・岩・顔彩 他 / 和紙

★《うしろの正面》2019年、1100×330mm、墨・胡粉・岩・顔彩・銀泥 / 和紙
（左2点はその部分）

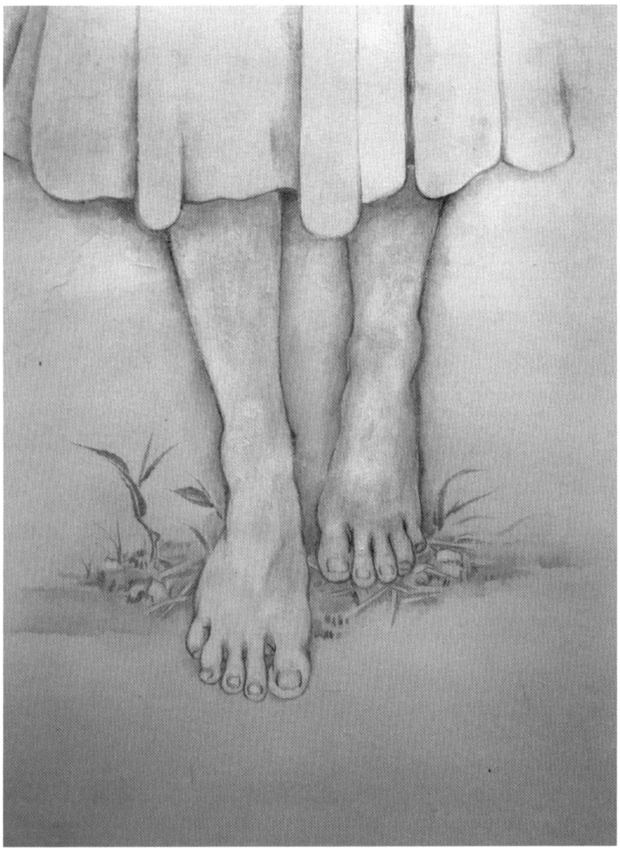

★《菊慈童》2019年、158×227mm、岩・墨・胡粉・顔彩・金泥 / 和紙

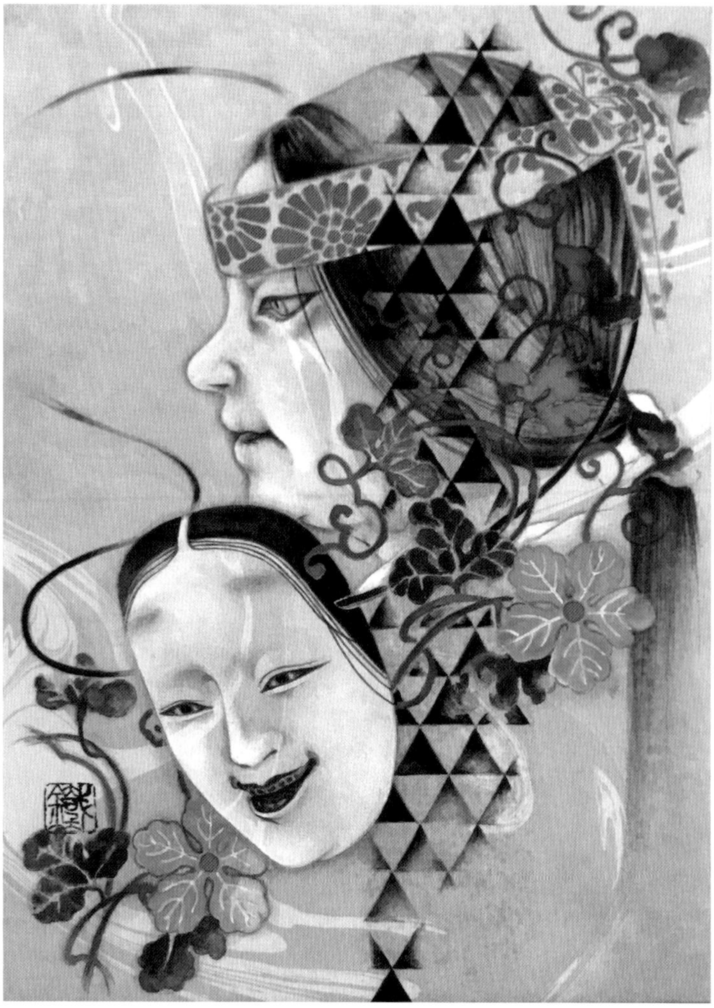

★《粧》2019年、158×227mm、墨・岩・胡粉・顔彩・箔 / 和紙

★《吐息》2019年、180×140mm、墨・胡粉・岩・顔彩・銀泥・雲母 / 和紙

★《西洋南瓜遊戯図》2019年、180×140mm、墨・胡粉・岩・顔彩・銀泥 / 和紙

★《小菊南瓜遊戯図》2019年、180×140mm、墨・胡粉・岩・顔彩・銀泥 / 和紙

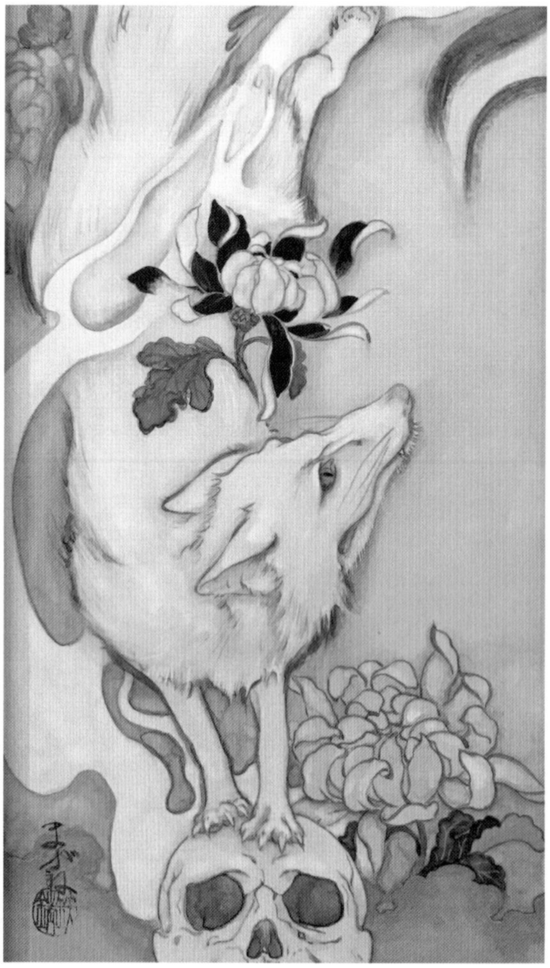

★《三狐神命婦》2019年、1020×450mm、
胡粉・岩・墨・顔彩・金泥雲母・金銀泥 / 和紙
（右2点はその部分）

あの世とこの世の
狭間に漂う
日本ならではの
おどろおどろしさ

「幽（かそけ）し」を辞書で引くと、かすかだ、ほのかだ、淡い、などとある。「幽」の字には奥深い、薄暗い、といった意味があり、死後の世界を言い表す言葉でもある。薄暗くぼんやりした場所の向こうに「あの世」がつながっている、日本ならではの世界観がその文字に象徴されている。

個展「かそけ―幽―」を開いた奥田鉄《まがね》は、デザイン事務所勤務を経て、現在はフリーランスの商業デザイナーとして活動。その一方で独学で日本画を学び、画家としても多くの個展を開催してきている。日本画と言っても伝統的な美人画や花鳥風月画とは少々異なり、ベースになっているのはコミックアート。それを日本画の材料を用い、日本画ならではの空間配置なども借用しながら、「日本の薄暗く湿度の高い風土に根ざした」作品を描いている。

奥田は、ふだんはコミック風の人物像を描くことも多いが、今回スナバ・ギャラリーで開いた個展で展示されたのは、幽霊など怪異的なモチーフをテーマにした作品。リリースに「京極夏彦や横溝正史、江戸川乱歩などの探偵小説、牡丹灯籠などの怪談、奇談に取材した、怪奇幻想の色あいが伺えます」とあるように、少々おどろおどろしい作品が並んだ。

奥田のこうした作品の特質は、やはり気配の表現にあるだろう。靄がかかったかのような空気感とともに異様な念が、目に見えない何かの気配が、画面に漂う。掛け軸として仕立てられた《うしろの正面》では、人物の目とともに、顔の正面を舞うエクトプラズムのような気体が異様さを醸し、しかも片足を半歩踏み出していて、いまにもこちらに迫ってきそうではないか。背筋を寒くさせる凄みのある作品だ。

奥田はあの世とこの世の狭間に、日本ならではの、五感では感じることのできないものを描き出してみせる。（沙月樹京）

※奥田鉄 個展「かそけ―幽―」は、2019年10月26日〜11月6日に、大阪・中崎町のSUNABAギャラリーにて開催された。

◉文＝沙月樹京

★《声》2019年、227×158mm、鉛筆 / ワトソン紙・木製パネル

TSUCHIDA Keisuke

土田　圭介

★（左頁）《記憶の旅》2019年、410×318mm、鉛筆 / ワトソン紙

退廃的な
人物や都市は
この世の終末を幻視させる

★《自傷と自慰》2019年、455×380mm、鉛筆 / ワトソン紙・木製パネル

★《瞳》2015年、227×158mm、鉛筆 / ワトソン紙

★《音楽》2019年、67×67mm、鉛筆 / ワトソン紙

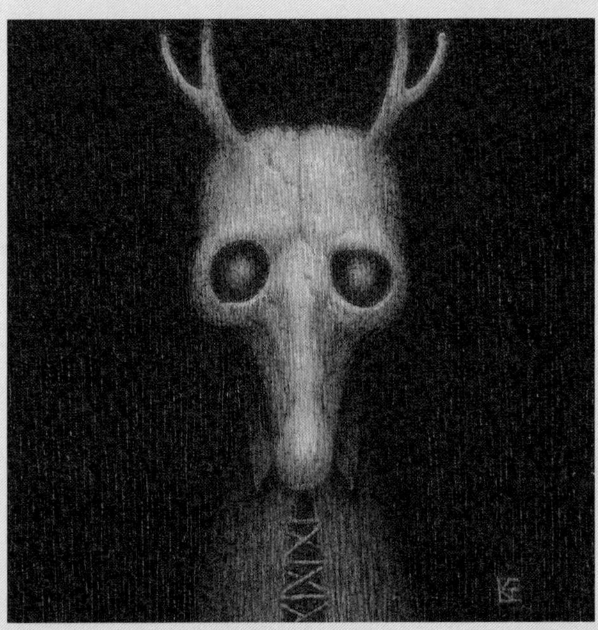
★《最期の友人》2019年、80×80mm、鉛筆 / ワトソン紙

★《鐘の音》2019年、227×158mm、鉛筆 / ワトソン紙

★《空の下で》2018年、273×220mm、鉛筆 / ワトソン紙

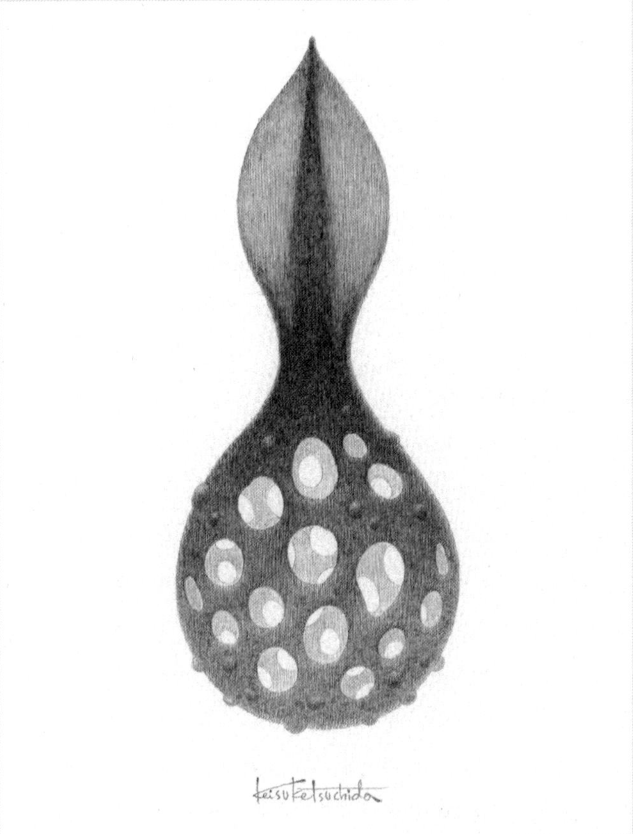

★《種火》2019年、180×140mm、鉛筆 / ワトソン紙

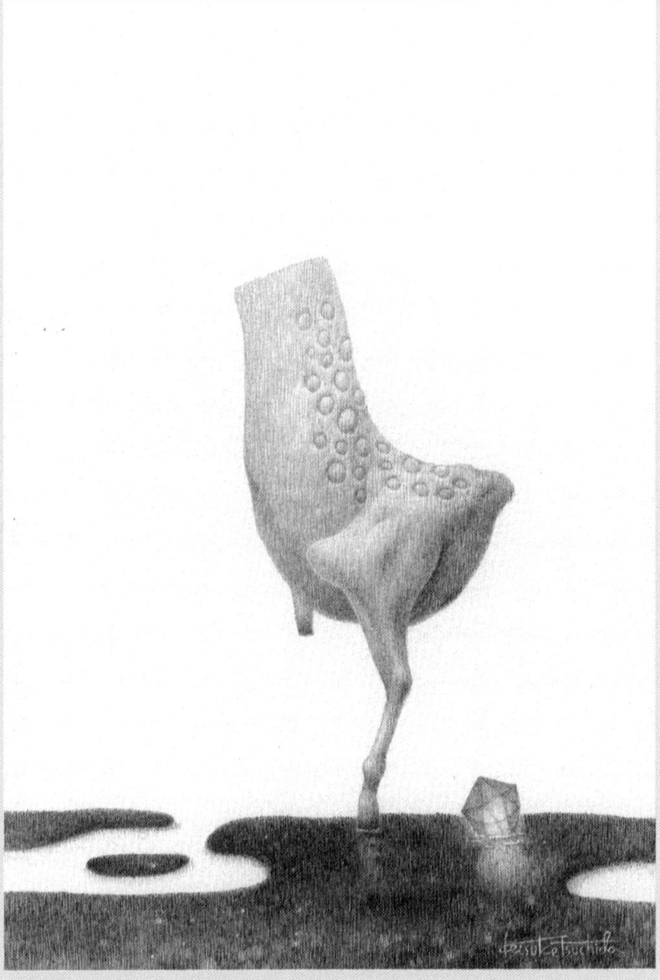

★《星を探して》2019年、227×158mm、鉛筆 / ワトソン紙

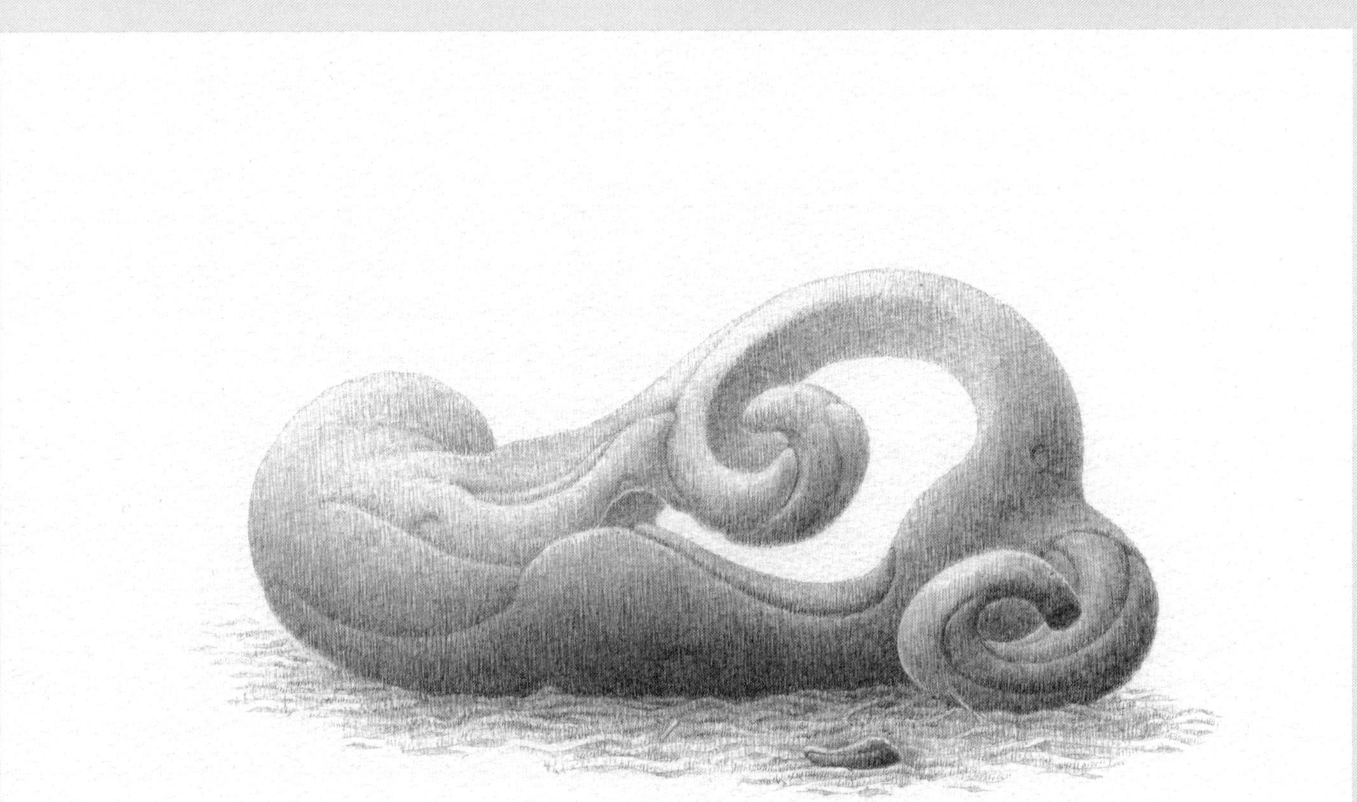

★《喪失の先へ》2019年、158×227mm、鉛筆 / ワトソン紙

★《AKUBI》2014年、240×190mm、鉛筆／ワトソン紙

★《風に吹かれて》2019年、273×220mm、鉛筆 / ワトソン紙

終末感漂う情景の中
孤独に歩みを進める旅人に
心を寄せる

★《旅路》2019年、240×190mm、鉛筆／ワトソン紙

土田圭介のホームページを開けば、表紙に「心にある世界を描くために」と題されたステートメントが表示される。いわく、「物語の奥にある隠されたものを想像する時に感じたワクワクした感覚が私の制作の原点になっています」。これまで開いてきた個展のタイトルも、「ココロ×モノクローム」「こころのままに」「心を刻む」「流れる心のままに」と「心」をキーワードとしたものが多く、吉祥寺美術館で開催される個展も「心の旅」という。

物語の奥を想像したワクワクした感覚、と土田が書くように、確かに土田の作品の中には、異世界の冒険者を思わせるかのようなファンタジックなものもある。だがそれが、夢と希望に満ちたものかというと、どうもそうは思えない。背景に描かれる都市や、ときに異形と化した人物はどちらかといえば退廃的で、この世の終末を幻視しているかのような感覚にさせられる。

しかも人物は、いずれもどこか孤独なのだ。孤独を噛み締めながら退廃の地を歩み魂を求める、巡礼者のように見えなくもないのである。

とはいえ、そこには苦しさや絶望は、ない。土田は、そうした存在に「心」を寄せ、慈しむながら描いているように感じ——それは、根気強く縦方向の線だけを引くことによって図像を浮かび上がらせる、土田独特の手法も影響しているかもしれない。丹念に引かれた線によって繊細に表現された図像であるがゆえ、おそらくいっそう、そこに慈しみを、ぬくもりを感じてしまうのだ。

それを感じたとき、われわれは、土田の「心」に触れたことになる。そしてその世界の中へ「心の旅」に出かけるのである。

（沙月樹京）

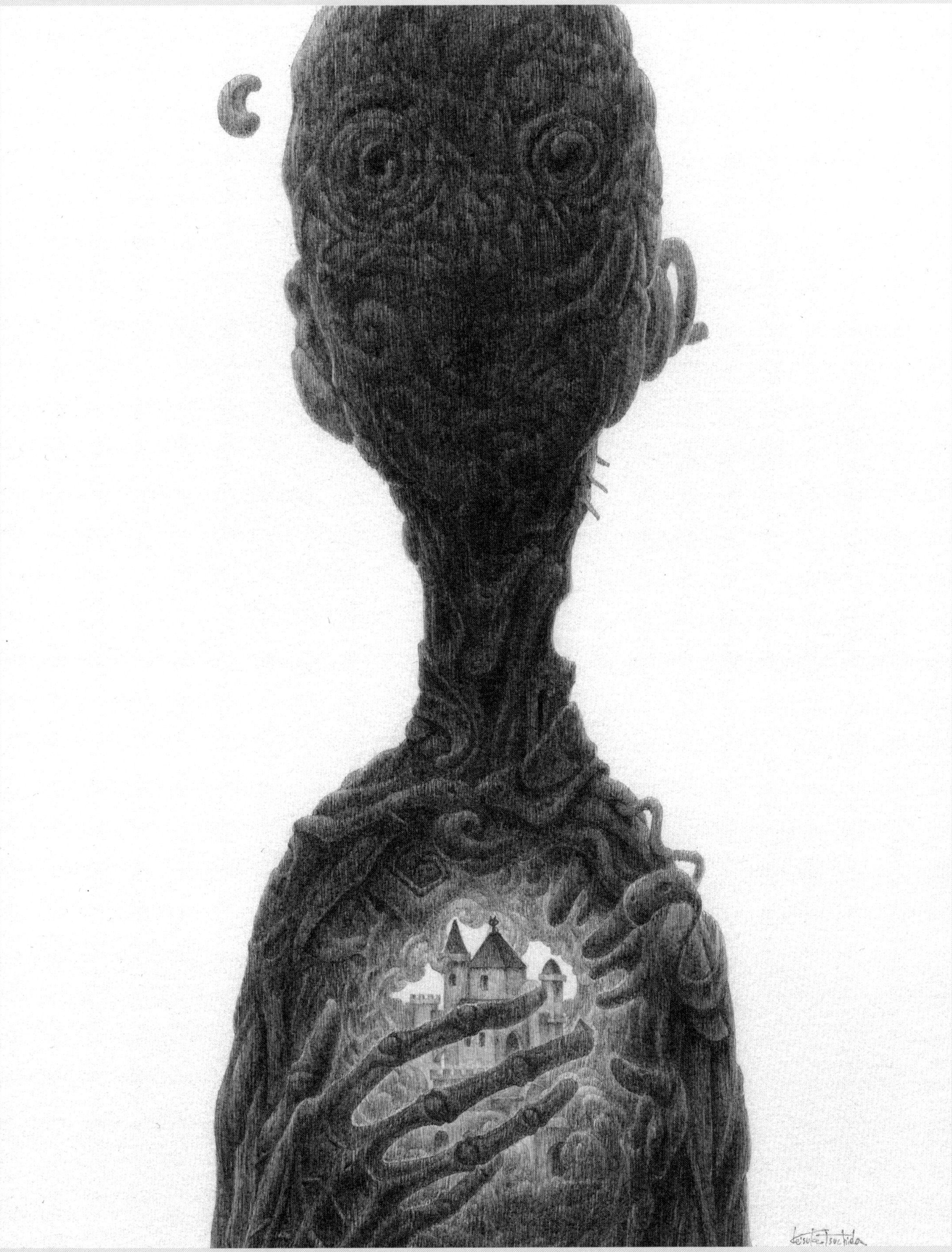

★《大切な場所》2019年、240×190mm、鉛筆 / ワトソン紙

※土田圭介 個展「流れる心のままに」は、2019年11月15日〜20日に、東京・表参道のギャラリーニイクにて開催された。

★土田圭介 鉛筆画展「心の旅 モノクロームの世界で描く心のカタチ」＝2020年4月11日（土）〜6月7日（日） 休館日4/30(木)、5/7(木)・8(金)・27(水)、10：00〜19：30
入館料：300円、中高生100円（小学生以下・65歳以上・障がい者の方は無料）
場所／東京・吉祥寺 武蔵野市立吉祥寺美術館 Tel.0422-22-0385 http://www.musashino-culture.or.jp/a_museum/

◉REPORT◉

黒木こずゑ×最合のぼる 暗黒メルヘン絵本シリーズⅠ 『一本足の道化師』出版記念原画展

◉文=沙月樹京

★この見開きの写真はいずれも、ビリケンギャラリーでの展示風景
（絵は黒木こずゑの、写真は最合のぼるの作品）

物語を紡いだ原画を
ずらり展示

★この見開きはいずれも、
黒木こずゑの作品

幻想系少女画家とのコラボで生み出される暗黒のメルヘン

「暗黒メルヘン絵本シリーズ」は、物語作家の最合のぼるが、幻想系少女画家とコラボして作り上げているヴィジュアル物語だ。最合は一貫して、文字の書体や大小、配置などタイポグラフィに工夫を凝らし、物語の情景をヴィジュアル的にも表現した作品を発表し続けている。画家などとのコラボのほか、自身でもオブジェを作ったり写真を撮ったりしてヴィジュアルとして使用している。

その世界は「暗黒メルヘン」と名付けられているように、ダークで少々残酷、シニカルなものである。この世の表層的な健全さをひっくり返して、隠された裏側を赤裸々に暴き出したかのような内容だ。そこは犯罪や刑罰など社会の法からも無縁な世界で、それゆえ「メルヘン」なのだと言える。

「暗黒メルヘン絵本シリーズ」は半年ごとに発売予定で、発売ごとに出版記念原画展が開催されている。現在2巻まで発売され、1巻の展示が昨年10月におこなわれた。

1巻を担当した画家は、黒木こずゑ。原画展会場となったビリケンギャラリーには、黒木による描き下ろし作品14点や最合による写真コラージュのほか、黒木の過去作や、絵を切り抜いて何層も立体的に重ねた新作（この見開きに掲載）も並び、圧巻のヴォリュームだった。

2巻の絵の担当は、少女的水彩画家・たま。こちらの原画展は、ヴァニラ画廊で4月5日まで開催中だ。

1巻と2巻を見比べてみると、画家が違うことによって、作品の味わいもだいぶ変わってくることがわかる。たまの挿画は、かわいらしく無邪気で、かつその中に残酷さを秘めている部分が、最合の世界観と共鳴していた。ぜひその世界を、本と展示の両方で楽しんでみたい。

なお今後は、3巻は鳥居椿（発売&原画展＝20年10月ごろ）、4巻は須川まきこ（21年3月ごろ）、5巻は深瀬優子（21年秋ごろ）の挿画で発売が予定されている。

（沙月樹京）

★黒木こずゑ（絵）最合のぼる（文・写真・構成）
「一本足の道化師～暗黒メルヘン絵本シリーズ1」

★たま（絵）最合のぼる（文・写真・構成）
「夜間夢飛行～暗黒メルヘン絵本シリーズ2」

いずれも、B5判・64頁・カバー装・税別2255円
好評発売中！
発行：アトリエサード／発売：書苑新社
詳細は http://www.a-third.com/

★「夜間夢飛行」出版記念原画展
2020年3月17日（火）～4月5日（日）会期中無休
12：00～19：00（土・日・祝は～17：00）
入場料500円（展示室AB共通）
場所：東京・銀座 ヴァニラ画廊 展示室B
Tel.03-5568-1233
http://www.vanilla-gallery.com/

※「『一本足の道化師』出版記念原画展」は、2019年10月5日～20日に、東京・表参道のビリケンギャラリーにて開催された。

◉文＝沙月樹京

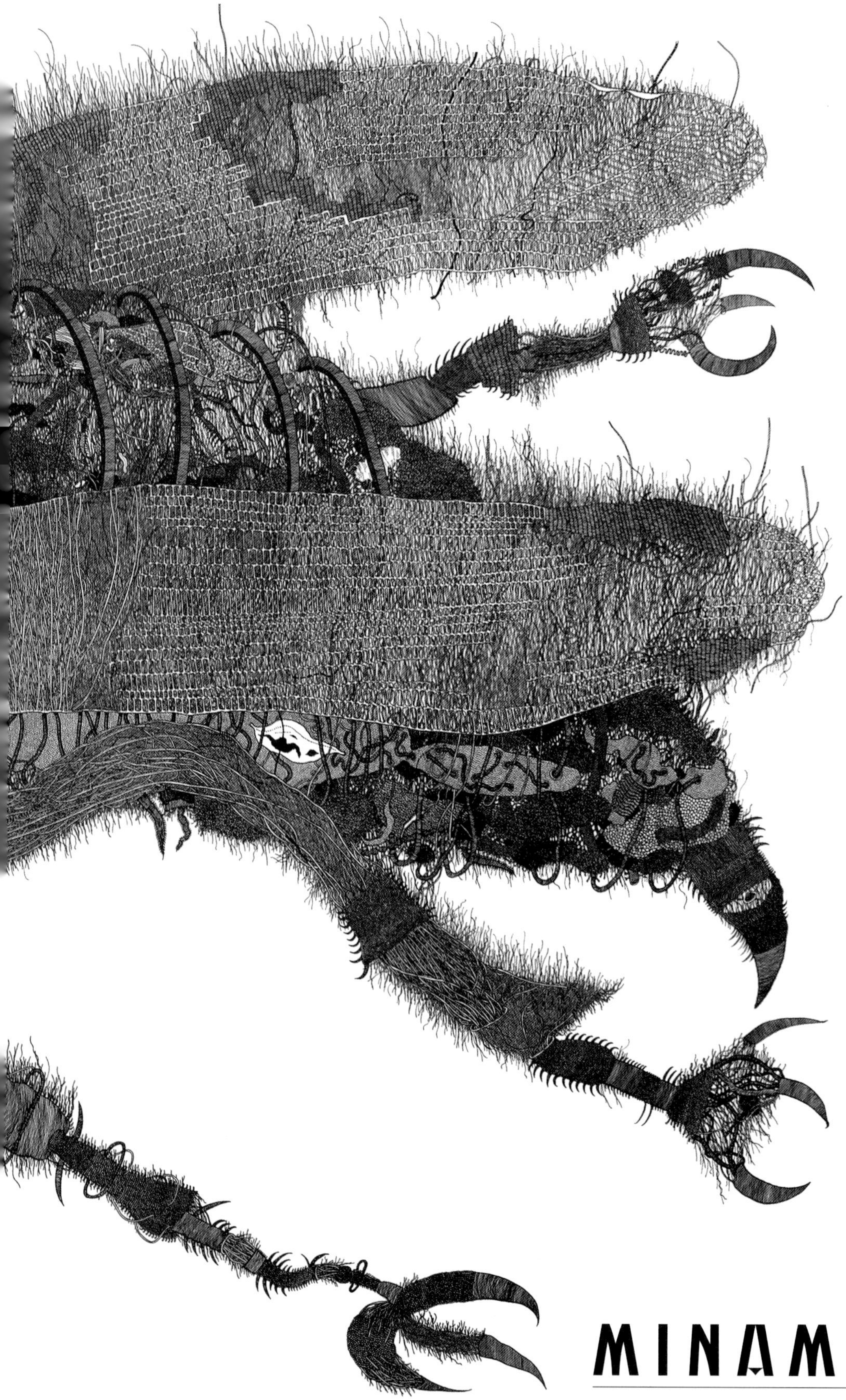

MINAMI Kana

南　花奈

ミニマルな材料で
余計な意識を排除し
ひたすら均一な線を描く

★《Queen bee》2014-2019年、72.8x103cm、紙・インク

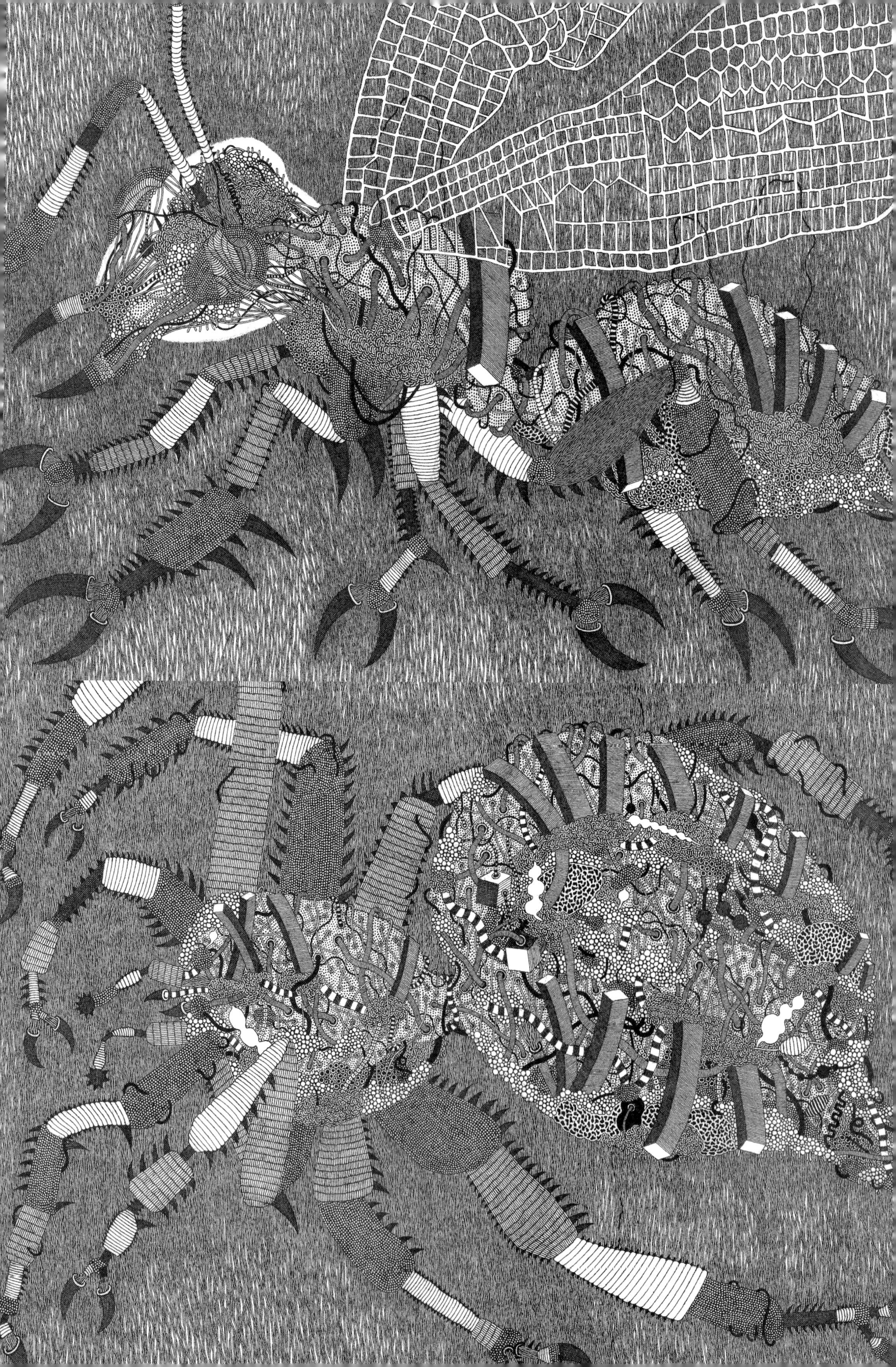

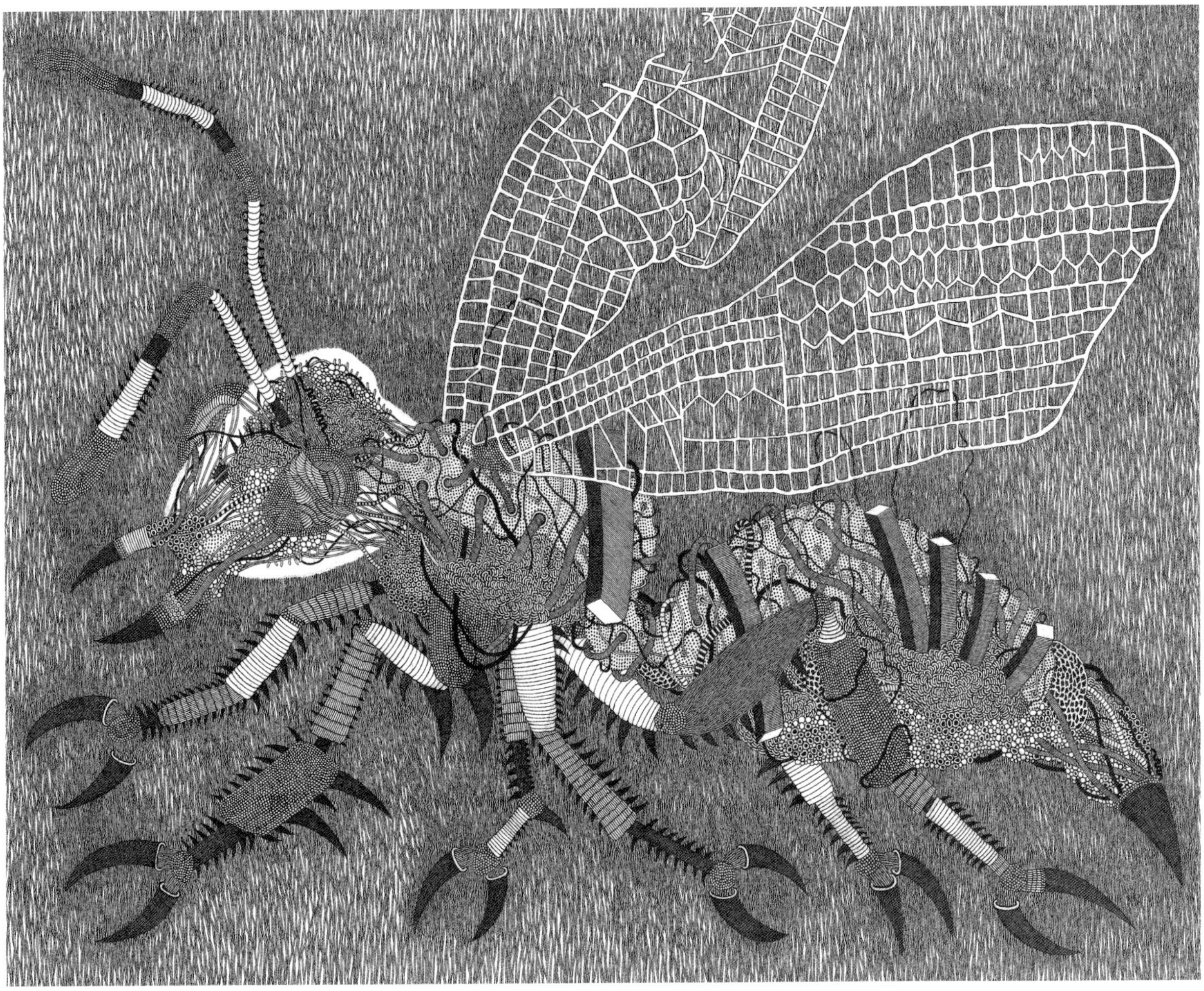

★《Flying ant》2019年、19x24cm、紙・インク／右頁上はその部分（原寸大）

★《Spider No.2》2019年、19x24cm、紙・インク／右頁下はその部分（原寸大）

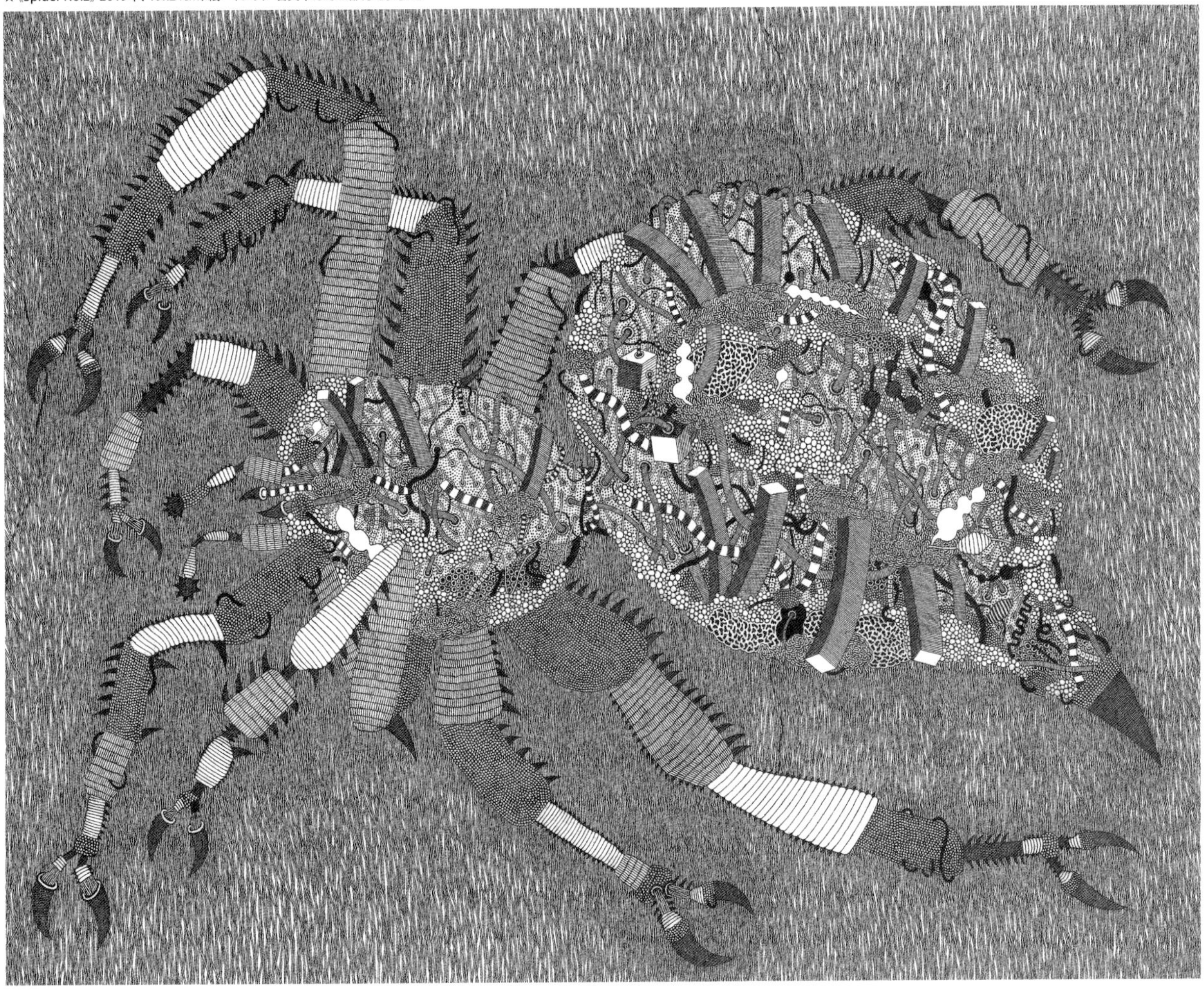

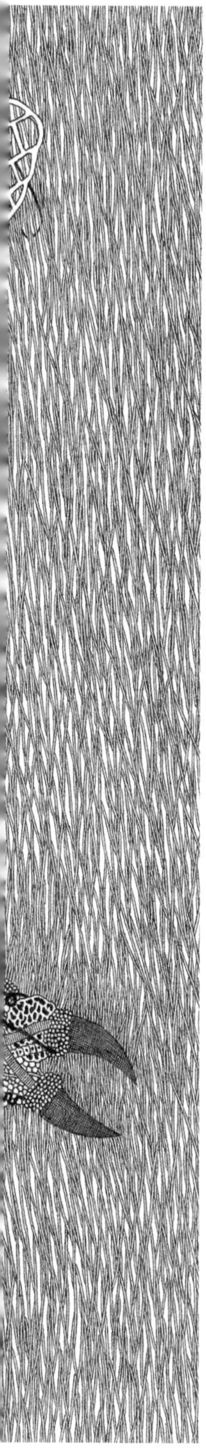

★《Damrey》の部分（原寸大）2019年、19x24cm、紙・インク／下は全体図

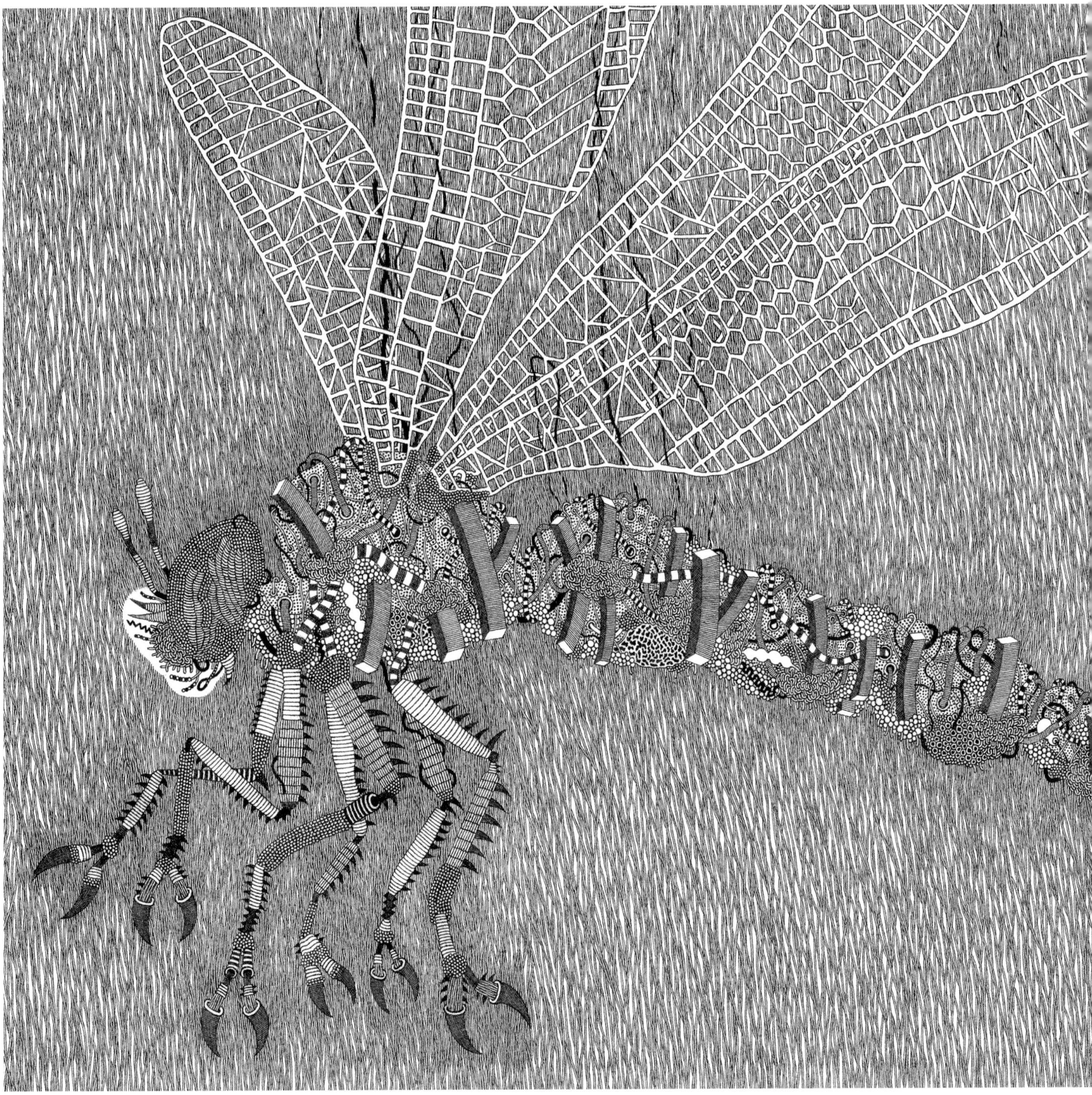

★《Dragonfly No.2》2019年、19x24cm、紙・インク（原寸大）

★《Happy birthday》2019年、24.5x33cm、紙・インク・鉛筆・アクリル

★《I'm into you》2019年、41x53cm、紙・インク・鉛筆

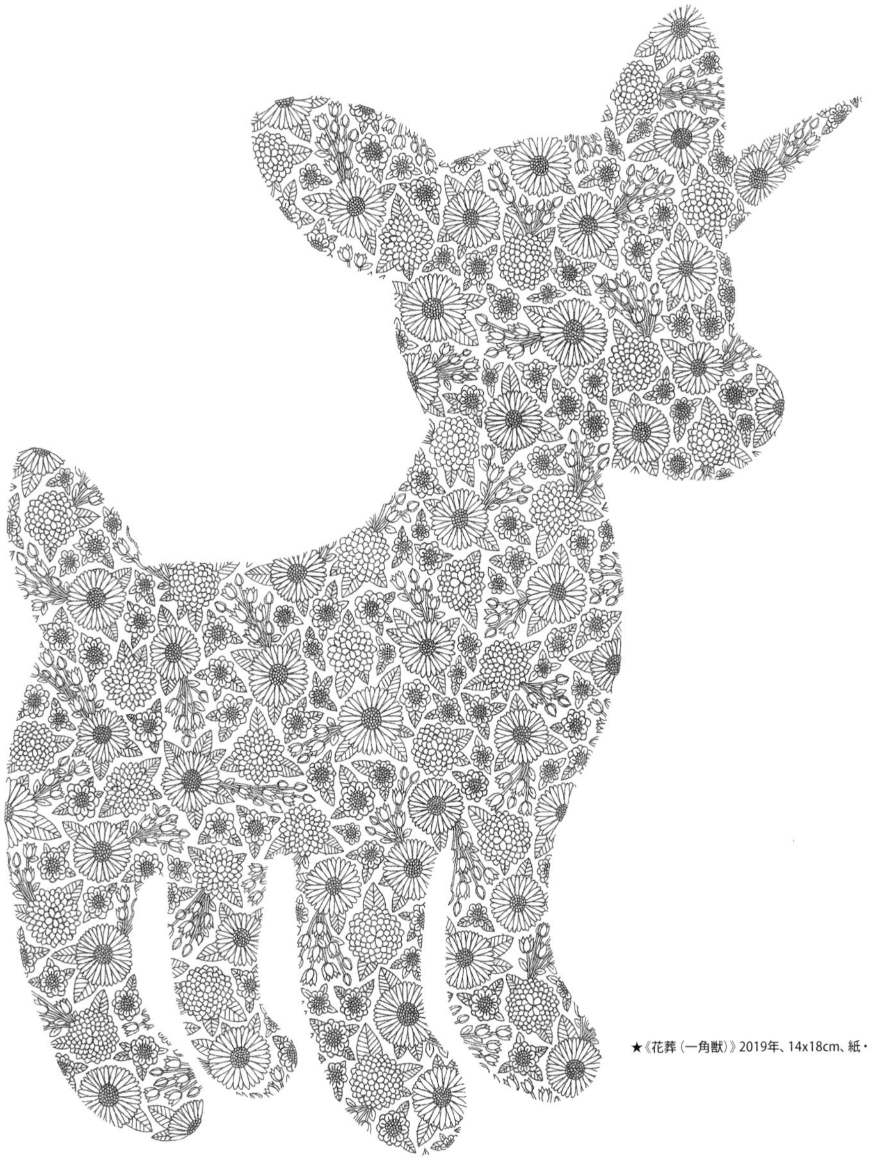

★《花葬（一角獣）》2019年、14x18cm、紙・インク（原寸大）

無意識に引かれた密集した線の中に未知の宇宙を垣間見る

ここに掲載した南花奈の作品を順に見てきて、このページを開いたら、可愛らしく優しげな動物たちの姿に、ちょっとホッとするかもしれない。対象的に虫の作品は、非常に密集した細い線によって描かれていて、緊張感が漲る——しかも単なる線だけではなく、ある一定の幅をもった、細いチューブか紐のようなものが絡み合ったりもしている。さらには、虫などの姿さえなく、その紐の絡まり合いだけを描いた抽象的な作品もある《Damrey》。

その紐はなんだろう、どこに繋がっているのだろう……そんなことを思いながら目を凝らし、紐の一本一本を追い続けているうちに、その絵の世界に引き込まれてしまう。奇妙な穴、細い紐、縞模様の紐、歪んだ角柱など、細部を構成するものたちへの興味が尽きなくなり、もはや描かれているのが虫であるかどうかはあまり関係なくなってくる。となると、なるほど、《Damrey》のような抽象作品でも、十分に南花奈の世界は表現されているのだ。

一方、右頁の《Happy birthday》《I'm into you》のような動物の作品では、優しげなグラデーションの輪郭の中に動物の姿が浮かび上がっている。高密度に線が絡まり合う作品とは真逆の、南の新境地だ。グラデーションなどで少しばかりの立体感を表現しつつ、小さな花や蝶は平面的に広がり、レリーフのような味わいがある。

《花葬（一角獣）》は、その動物の作品と、細密な線で構成された作品との中間にあたるものだといえようか。花のような模様が平面的に散らばり、動物のシルエットを形作っている。模様は同じパターンの繰り返しかと思えば、よく見るとそれらの形や組み合わせは微妙に異なる。そこには、花ひとつひとつに心を込めて一角獣という存在を葬ろうという意思さえ窺え、輪郭線がなく花模様だけで表現されたその形は、一角獣が幻の存在であることも暗示しているのだろうか。

南は、ペン画においては、ペンとインクと紙という、ミニマルな材料を用いることで行為を制限し、余計な動作や意識を極力排除しているのだという。描いているうちに、「一度紙の上に引かれた線が重なることはない」「線は自身の眼で判別できる限り最大限に均一に」「線は（具体的ではないが）ある一定範囲内の長さを保つ」など、いくつかのルールが生まれた。そのような手段によって、シュルレアリスムにおける自動記述《オートマティズム》のように制作を無意識化し、肉体的な運動に落とし込んでいるのだという。それは、コンセプトが先行しがちな現代美術を逆から見透かすことでもあると付け加える。

無意識による描画ゆえだろう、南の描く線には一定のリズムの中に予測できない差異（ノイズ）が紛れ込み、そのノイズとの思わぬ出会いがあるがゆえに、われわれは絵に引き込まれてしまうのかもしれない。未知の宇宙をそこに垣間見ることができるのだ。

（沙月樹京）

※南花奈個展「I'm into you」は、2019年11月9日〜30日に、東京・日本橋のMASATAKA CONTEMPORARYにて開催された。

◉文＝沙月樹京

★《星に沈んで眠る》2018年、228×228mm、ガッシュ・アクリル / 水彩紙・パネル

SHIRONO Yu

白野　有

見えなくても感じられなくても
存在しているものはたくさんある

★《夢に落ちてゆく》2019年、210×297mm、ガッシュ・アクリル・金泥・メディウム / 水彩紙・パネル

★《夜想曲nocturne no.2》2018年、228×228mm、ガッシュ・アクリル / 水彩紙・パネル

★《カード占い》2019年、220×273mm、ガッシュ・アクリル / 水彩紙・パネル

★《花かんむり》2019年、158×227mm、ガッシュ・アクリル / 水彩紙・パネル

★《過去・今・未来》2019年、297×210mm、ガッシュ・アクリル / 水彩紙・パネル

★《OPEN》2019年、940×540mm、ガッシュ・アクリル / 水彩紙・金具・パネル
（上は扉を開いた状態、下は閉じた状態）

★《声》2019年、200×200mm、鉛筆・ガッシュ / 水彩紙

★《青い薔薇》2019年、158×227mm、ガッシュ・アクリル / 水彩紙・パネル

★《瞑目して待つ》2019年、200×200mm、鉛筆 / 水彩紙

★《秘密の花園》2019年、148×210mm、鉛筆 / 水彩紙

見えなくても在る――
観客にも
自分の中に「見えた」映像を
思い描かせる

★《降水雲》2019年、4,700×910mm、鉛筆 / トレーシングペーパー・プラダン・アルミ架台

白野有は、小誌№16でも取り上げた作家だ。20年ぶりに開いた個展「再生」を取り上げさせていただき、その「再生」という言葉には、長いブランクからの復帰と、記録された音や映像の「再生」という意味が重ねられている、という旨のことを紹介した。

後者について付記すれば、白野にとって大切なのは、目の前で起きた出来事そのものではなく、それが自分の中でどのような映像として見えたか、ということだ。それを「再生」して絵画として描き出す。白野は、「見えなくても感じられなくても、存在しているものはたくさんある」という。感覚や知覚がすべてではない。錯覚で形が違うように見えたり、ウイルスなど小さすぎて見えないものもあるではないか。

だから、この世の中に存在していると思っていることは、意外と曖昧なものなのではないかと、白野は考えている。それゆえ、自分の中に「見えた」映像は、たとえ幻覚のようなものであっても、現実に存在していると思っているものと同等の価値があると言えるのではないか。だからその「見えた」映像を描き、現実の中に「存在」させる——今回の個展のタイトル通り、「見えなくても在る」のだ。

この個展で白野は、ガッシュなどで描いた作品の他に鉛筆画も展示した。中でも観客の目を引いていたのが、4メートルにも及ぶ新作《降水雲》。これも鉛筆画だが、「壁面に浮き上がるような感覚を生み出したい」とトレーシングペーパーに描かれ、しかも太陽の部分には後ろからライトが当てられて輝いている。右端は暗雲が立ち込め嵐の様相を呈し、左に進むに連れて雲は晴れていく。この作品においては、雲と海だけが描かれたその画面に、煌々と輝く太陽に何を「見る」のか、どのような映像を心に中に記録するのか、観客の方が試されているのかもしれない。

他には、昨年の東京・gallery hydrangeaでの個展で発表された《OPEN》も、関西で初めて展示された。鑑賞者自ら扉を開けることで見ることの出来るこの作品は、ドラマチックなその画面を見たあとは、再び扉を閉めることになる。つまりこの作品においても、何が「見えた」のか試される。扉を閉めることで、その向こうに何があったのか、見た者は、自らの中に記録された映像を反芻することが——再生することが、おのずと促されるのである。

「見えなくても在る」。それを言葉で示すだけでなく、体感させてくれる個展だったと言えよう。

（沙月樹京）

※白野有 個展「見えなくても在る」は、2020年1月11日〜22日に、大阪・中崎町のSUNABAギャラリーにて開催された。

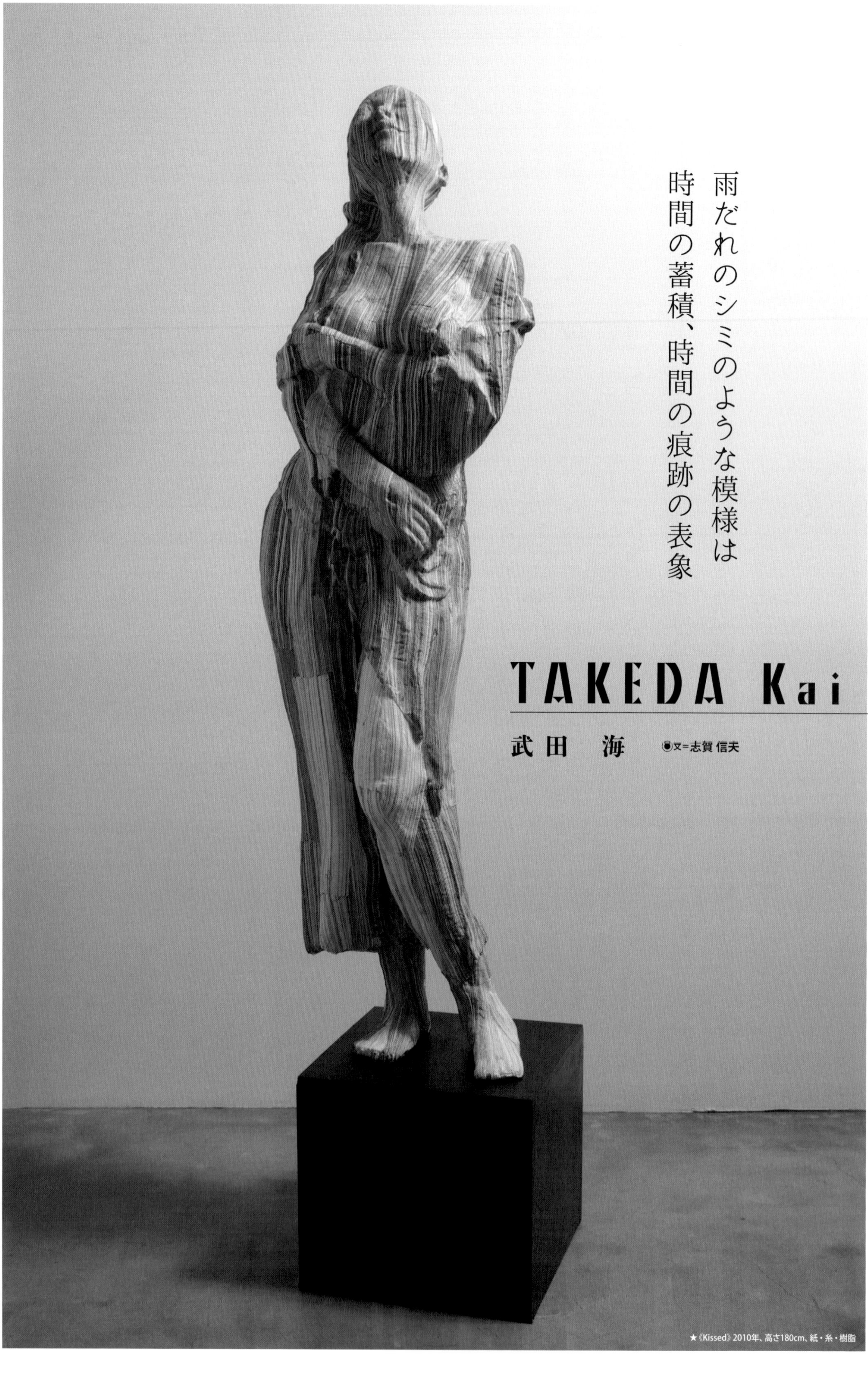

雨だれのシミのような模様は時間の蓄積、時間の痕跡の表象

TAKEDA Kai

武田　海

文=志賀 信夫

★《Kissed》2010年、高さ180cm、紙・糸・樹脂

★《f7》2011年、高さ180cm、紙・糸・樹脂

★《あ》2019年、160x132cm、アクリル絵の具・キャンバス

★《泉》2019年、197x197cm、アクリル絵の具・キャンバス

★《Poetic Camera》2018年、73x102cm、アクリル絵の具・キャンバス（桐朋学園 蔵）

★《甘い絵Ⅱ》2019年、108x83cm、アクリル絵の具・キャンバス

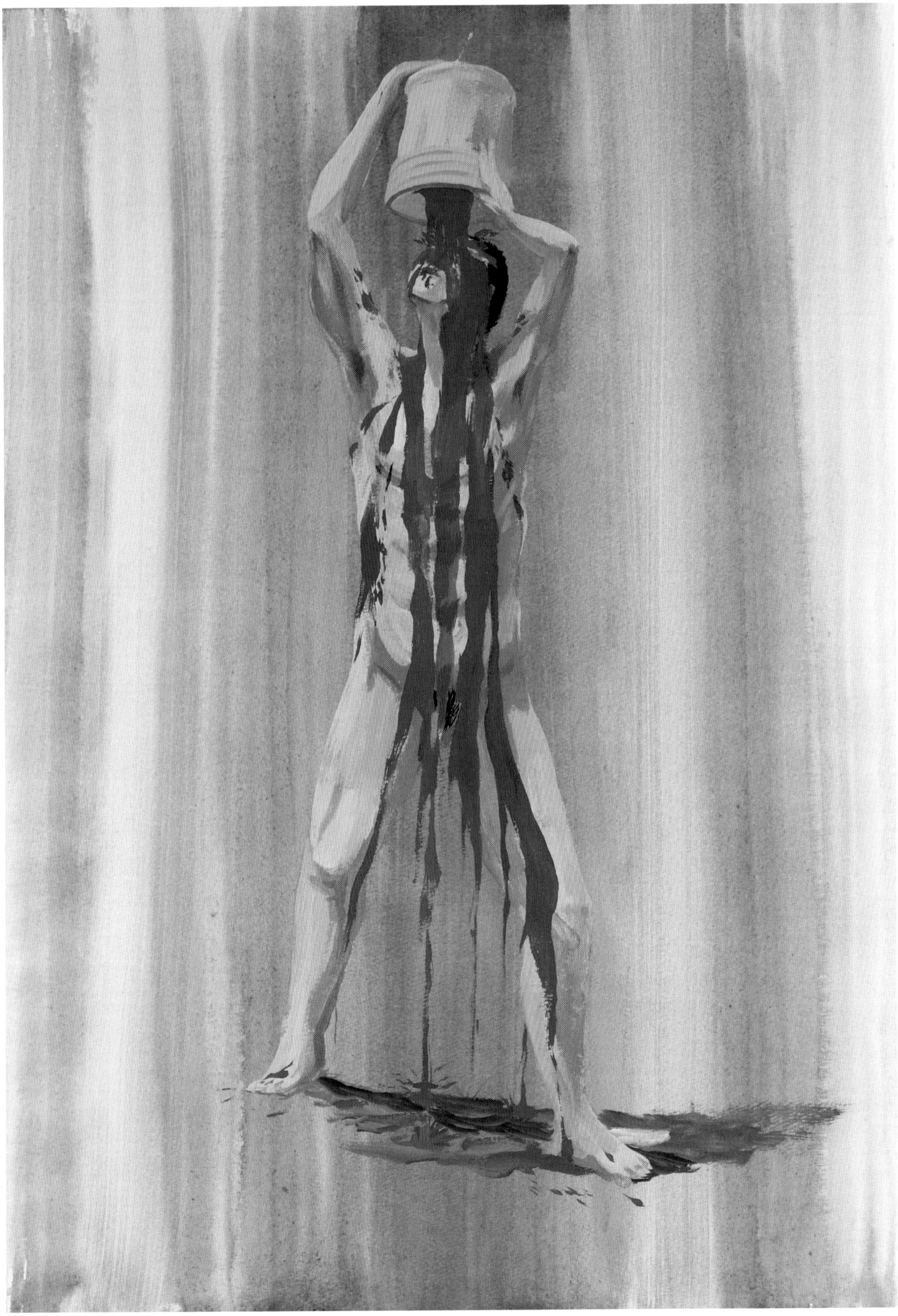

★《Monday Morning》2018年、51x37.5cm、アクリル絵の具・水彩紙

★《Philosophical dive》2003年、240×25×60cm、籐・鉄

さまざまな技法で心と身体、社会の関わりを探求し続ける

森の中でひっそり陶芸をしたかった

武田海は、スペインで活躍し、現在は日本で活動している。独特の身体の彫刻、そして最近ではポップでありつつ、性的なイメージなどとともに、ちょっと暗い奇妙な作品で注目される。昨年の京橋の画廊での個展では、会田誠がトークを行った。この武田海は、どうして美術に進んだのだろうか。

武田の母は画家だった。武田が生まれるまで油絵を描いており、公募展などに出品していた。そのため、小さいころからよく美術館などに連れて行かれた。例えば、ピカソが七歳のころに描いたスズメのデッサンなどを、上野の都美術館でほぼ同年齢で見せられて、「うまいなあ」と思ったりした。だが、その母は四年前に亡くなった。

ただ、小さいころは、美術館はつまらなくて、館内で泣いて母を困らせたりしており、小学校三年から高校まで野球をやっていたので、ずっと美術とは疎遠になっていた。

だが高校一年のとき、進路を考える際に、進学校だったが、「一流大学にいきサラリーマンになる」という進路に抵抗を覚えた。そして、「自分のやりたいことは、どこかの森に小さな庵を建てて、ひっそりと陶芸をしながら生きていくことだ」とぼんやり思った。それならば美大に行きたいと考え、高一のころから野球の練習の合間に美術室に出入りするようになった。そして美術の大学に

★《無題》（卒業制作）1996年、140x130x130cm、手漉き紙・糸・スポンジ

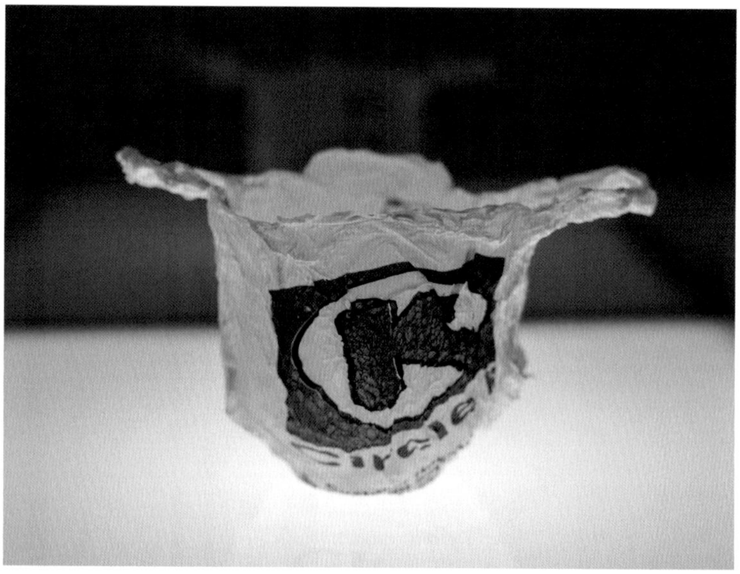

★《Feed bag vol.1》2004年、レジ袋

★《Public phone》2004年、300×65×47cm、ミクストメディア

★《夢想家の椅子》2000年、86×86×86cm、木・ダンボール・タバコフィルター

★《Fundy Mundy》2004年〜、200×65×85cm、レジ袋・木

進む。

この、森の中の庵で陶芸をというのは、枯れたシニアのような発想でもあり、おもしろい。自然志向とか、孤独な世界に憧れるということはないわけではないが、それが高校生というのは、ちょっと変わっている。また、少々メルヘンなイメージも感じられる。ムーミン谷のスナフキンのような感じだろうか。

技法の制約が少ない染織科へ

武田は美術を学びに東京藝術大学に入ったが、大学とその大学院で染織を専攻している。男性の美術家としては、かなり珍しい。どうしてだろうか。また、どうして陶芸ではなかったのか。

武田が入った東京藝大の工芸科は第一、二年次に工芸基礎というカリキュラムで、彫金、鍛金、鋳金、漆、陶芸、染織と一通り学ぶ。どれもが伝統工芸に根ざした技法を遵守する科で、当時、過去に夢見た陶芸よりも、「もっともやもやした表現欲に駆られていた」という武田は、なかでも一番技法の制約が少ない染織科を選択した。彫刻科に入っていればよかったと後悔もしたが、染織科の中にもファイバーアートという繊維造形のジャンルがあることを知り、また、ポーランドのマグダレーナ・アバカノヴィッチの作品などのスライドを見せられ、染織科に希望を感じていた。

スペインでの成功と挫折

だが、大学、大学院を通じて、工芸はほとんどやらず、好き勝手なものばかり制作することに明け暮れたおかげで、大学院を修了したころには、本格的に現代美術に踏み込んでいた。なので、西欧で現代美術を学びたいと思っていたが、アメリカ、ドイツ、イギリスは留学費が高かった。また、みんながアメリカやイギリスを目指し、「コンセプチュアルアートとは何か」を学ぼうとしている姿に興ざめした。そのため、あまり選択肢に上がらないスペインで、自分なりの表現を探してみようと、バルセロナのマッサーナ美術学院彫刻科の門を叩いた。

当時、現代美術ではスペインは注目されない存在だったろう。ただ、ダリ、ブニュエル、ミロ、そしてピカソ、あるいはガウディなど、現代美術につながる強い力を感じさせるところがある。実際に、フランスのシュルレアリスム運動には、スペインからパリに集まったダリらの力も大きかった。そしてスペインでは、バルセロナは中心的な場所でもある。

武田海は、スペイン滞在二年目の二〇〇〇年に、「ジェ

★《Flamingo（ボングを届けるナース）》
2017年、高さ160cm、楮紙・糸・樹脂・木・布

ネレーション二〇〇〇展」というマドリッド銀行主催の大きなコンペがあり、友だちに誘われて出した作品が、彫刻部門大賞に選ばれた。それ以降、アーティストインレジデンスの審査に通り、バルセロナのコマーシャルギャラリーからも声がかかり、所属作家になった。また、グループ展に大作を出品すると、コレクターが来て二つ返事で買っていったり、美術界で活躍しているアーティストのグループ展に作品を出すことになったりと、あれよあれよという間に名前が売れ始め、気づいたら天狗になっていた、と武田は振り返る。

だが、その天狗の鼻がへし折られるような形で、八年滞在後の二〇〇六年に帰国することになる。それはどうしてか。武田は、精神のバランスを崩し、幻聴が聴こえ始めて、統合失調症の診断がくだり、思うように働けなくなったからだ。そこで、これ以上、異国の地で制作活動を続けていくのは無理だと悟って、帰国したのだ。だから、スペインで一番勉強になったのは、軽い成功と挫折を知ったことかもしれないという。

紙による人体彫刻

武田は、基本的には、手を動かして、彫刻、オブジェ、インスタレーションなどを作ったり、絵を描いたりしている。ジャンルの振り幅は大きく見えるが、それは、長年やっているからだという。ただ、「絵画」「彫刻」といった媒体を固定化しないのも「あり」と思う部分もあるそうだ。だが、自分なりのテーマを追うなかで、いろいろな技法に手を出したりしている結果だともいう。

武田は、紙を素材にして彫刻的な身体をつくっている。それは、類のない技法に見え、独特の魅力を感じる。この技法と作品は、どのように生み出されたのだろうか。

その紙による人体彫刻のシリーズの下地になっているのは、大学の卒業制作や修了制作の作品からヒントを得て編み出したものだ。卒業制作では厚い紙を自分で漉きなおして（トイレットペーパーや新聞紙をどろどろに煮たものを漉く）、それを工業用ミシンでランダムに縫い、糸の張力で三次曲面を作り、そのパーツを縫ってはぎ合わせた紙の彫刻を出品した。

その人体彫刻に使われている技法は、工業ミシンをひたすら真っ直ぐ踏み続ける職人的技巧だが、それによって出てくる模様に惹かれて、それを電柱やコンクリート壁や公共彫刻に残る雨だれのシミに見立てる。その模様を、ずっとテーマにしてきた時間の蓄積、時間の痕跡のイメージに接続して、人体造形の表面に応用したのだ。

社会への義憤

また、武田海は、社会問題などをテーマにすることも多い。それについて聞いてみた。武田はこのように語る。

「美術史には、国内外のプロレタリアアートの文脈や、一九六〇年代のポップアートを経て、七〇年代にヨーゼフ・ボイスやフルクサス運動などがあり、社会問題をテーマにする流れはアートの文脈ではずっと受け継がれてきている。現代は消費社会全盛で、意味不明な便利さの過剰追求の渦中、過重労働、メンタルヘルス、男女不平等、移民問題、異常気象などなどさまざまな社会問題に取り囲まれている。社会における人間の生き方、あり方を問う表現者ならなおさら、その社会矛盾に戸惑いを覚えるのではないか。そうした状況に義憤を抱き、社会問題を扱うこともある」

日本には、芸術至上主義というか、作品では社会問題を示さない美術家も多い。もちろんどちらがいい、悪いということもない。ただ、9・11以降、さらに3・11以降、社会とアートの関わりを考えさせられた人も多いだろう。そして、海外のアーティストには、社会問題に向き合う人が多い。アーティストだからできる問題提起というのがある、とも考えられる。

「身」へのこだわり

武田には、紙の彫刻に始まり、現在のペインティングも含めて、きわめて身体性の強い作品が多いと感じられる。その「身体」について、武田はどう考えているのだろうか。

武田は、二〇一八年に横須賀で「身」をテーマにしたドローイングの個展を開いた。大和言葉から連なる「身」という言葉に関心を寄せているからだ。身体（からだ）という造語が、明治になって登場する以前の「身」という言葉は、もっと照射する範囲が広く、抽象性があり、また、「身銭を切る、身につく、身を立てる」など、心と体と社会を柔らかく結ぶ良さがあると、武田は感じる。そのため、最近はそれを意識したドローング、ペインティングを描いているという。

さらに最近では、「個」に近いニュアンスで「身」を捉えている部分があるとも述べる。「日本人は集団行動が得意」と海外からはいわれているが、その反面、現在の社会状況の中で、一人の人間としての「個＝身」が弱いと思う局面が多くなってきていると感じている。だから、武田は、もっと一人ひとりが「個」を強く持たないことには、日本社会の行く末が不安だとも述べる。

心の闇や混沌への視線

武田海が影響を受けたのは、フランシスコ・デ・ゴヤ、マグダレーナ・アバカノヴィッチ、榎倉康二、会田誠、トニー・クラッグ、フリーダ・カーロ、マルレーネ・デュマス、ウィリアム・ケントリッジなど。やはり、身体感覚の感じられる強い作品が多い。また精神的な混沌が感じられる作家も多い。

ポーランドのアバカノヴィッチは、九〇年代、日本で展覧会を行い、塩田千春を始め多くに影響を与えた、身体感覚のとても強い美術家である。トニー・クラッグは英国の美術家で、水辺で拾ったプラスティックの破片を並べて形をつくり、作品としている。それは時には人間の形もとり、ガラス瓶などの素材もつかって、人間と物質の関係を考えている。

マルレーネ・デュマスは、南アフリカ生まれ、オランダで活躍する美術家で、女性の顔を中心に描く。日本では、本誌のこの連載でも書いた、大英博物館による横浜美術館の「ヌード」展の展示で注目された。独特の粗い筆致が際立ち、女性の心の中、心の闇を描き出すような作品だ。性差別や性的なものをテーマにしているともされる。ウィリアム・ケントリッジは、同じ南アフリカの美術家で、手書きのモノクロドローイングを元にした、コマ撮り映像作品で知られる。アパルトヘイトを含めた南アフリカの歴史を感じさせる作品で、二〇一九年には高松宮世界文化賞を受賞している。

また、武田は哲学者東浩紀、批評家椹木野衣などの本はよく読み、音楽はフラメンコ、特にディエゴ・エル・シガーラ（Diego el Cigala）を好んで聴く。ディエゴはフラメンコのみならずタンゴのアルバムを出したり、ラテングラミー賞に輝く歌手で、フラメンコのシナトラともいわれる存在。そして、武田が制作をするときは、YouTubeで世界的なテクノのミュージックステーションであるボイラールームを流しっぱなしにしているという。

映画監督はデヴィッド・リンチ、マーティン・スコセッシ、ブライアン・デ・パルマ、アキ・カウリスマキ、ジム・ジャームッシュなど。この監督たちについては、日本では有名なので、あえて述べる必要はないだろう。

こうみてくると、武田海は、手を使った職人的な技法を身につけながら、身体と精神、特に心の闇や混沌の部分に視線を向けて作品をつくり続けている。そして、それは同時に、人と社会の関わりを追求することも重なっているといえる。

武田海は、これまで、立体を中心に多種多様な表現を続けてきたが、当分はドローイング、ペインティングを中心に平面を続けていくという。そして、手探りで、どんな展開が開けるのか、わくわくしつつ探求していると結んだ。なお、武田は七月には自由が丘で二人展を予定している。

（志賀信夫）

◉文=沙月樹京

★《未知の交錯》2019年、455×380mm、インク / 和紙・パネル

MURAYAMA Tomoaki

村山　大明

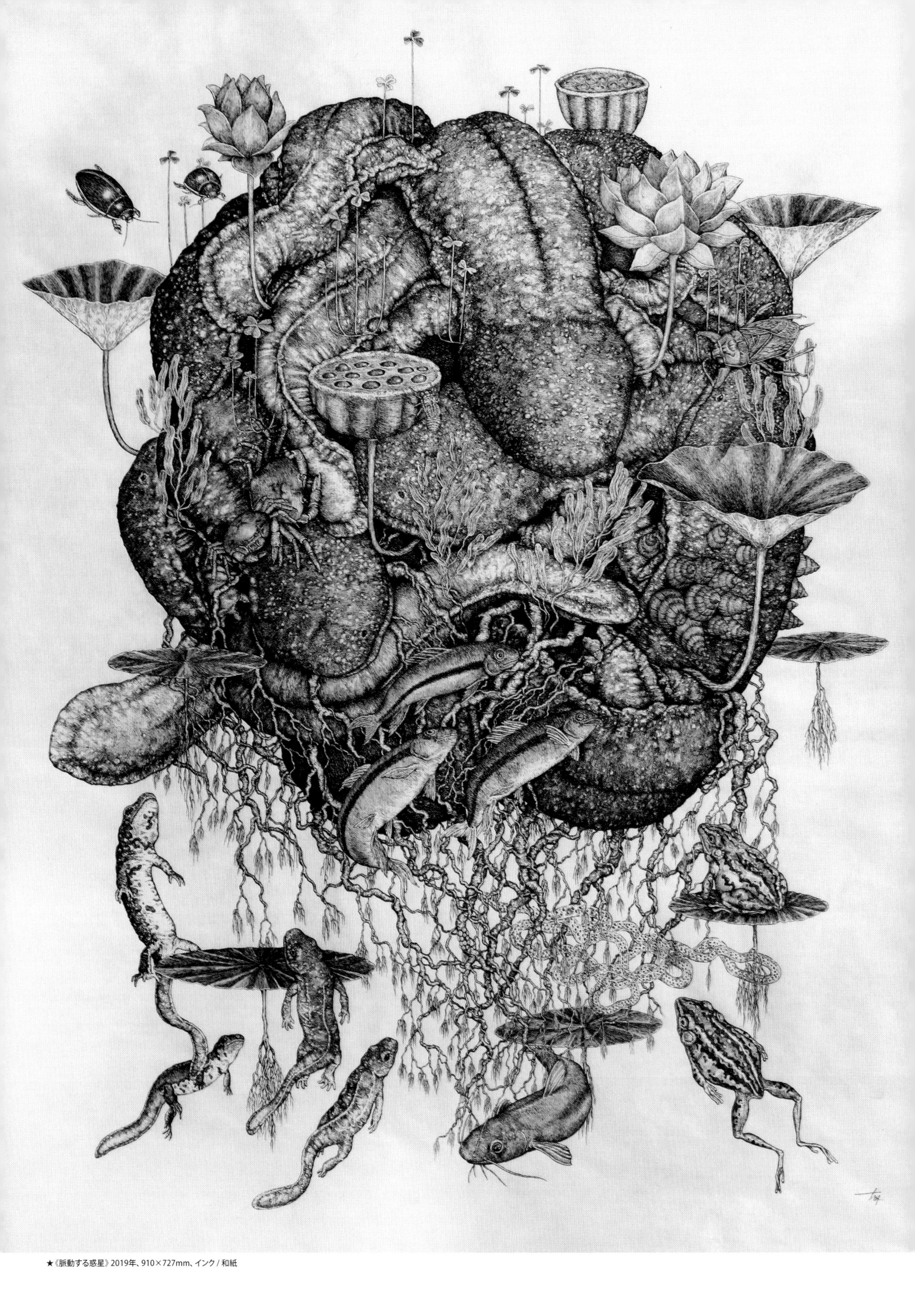

★《脈動する惑星》2019年、910×727mm、インク / 和紙

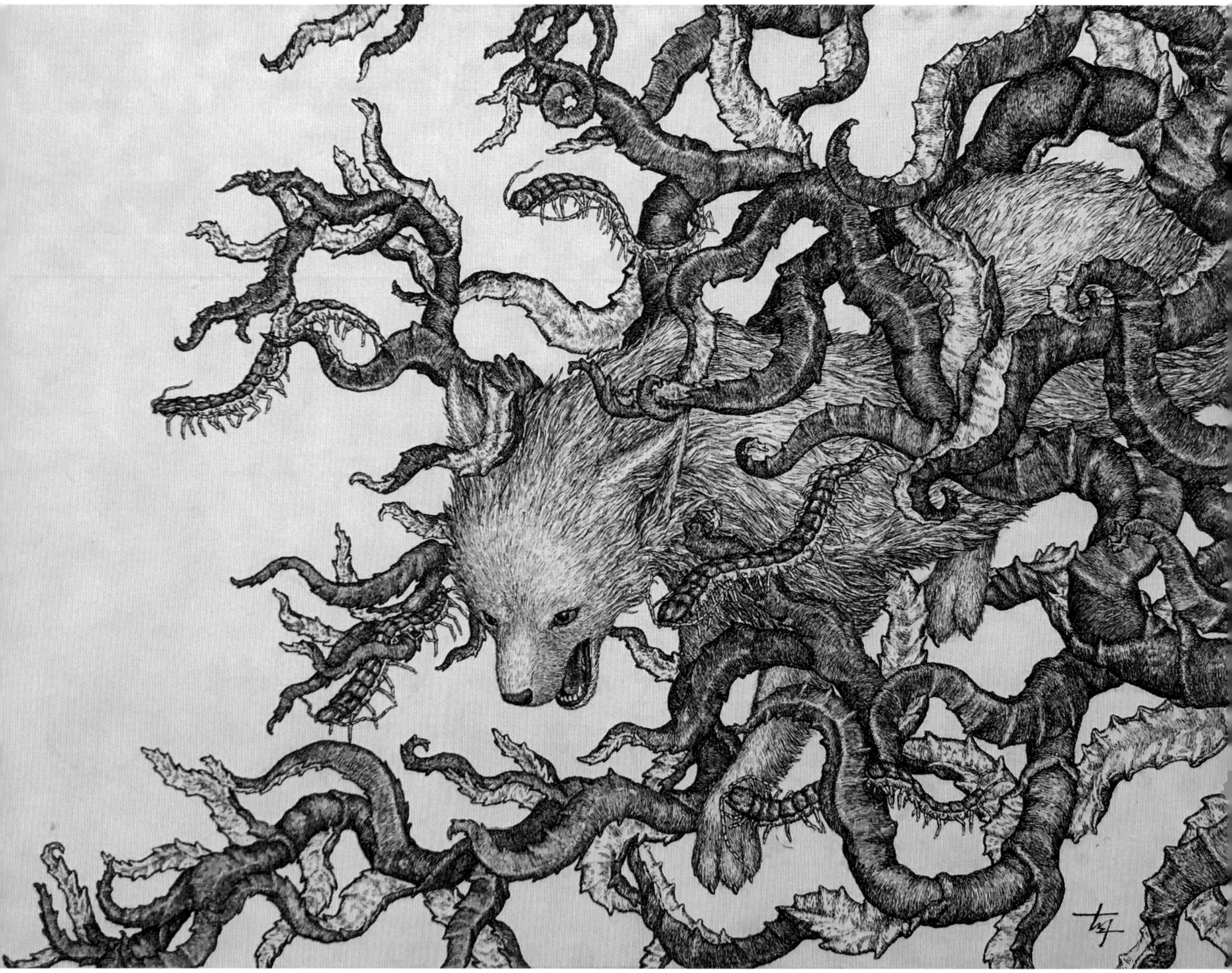

★《生動を導く》2019年、242×333mm、インク / 和紙・パネル

山の中では
全てが一体となり、
人の認識による境界はない

★《躍動を纏う》2019年、333×242mm、インク / 和紙・パネル

★《蠢動スル樹》2018年、410×410mm、インク / 和紙

★《拍動を交える》2019年、333×242mm、インク / 和紙・パネル

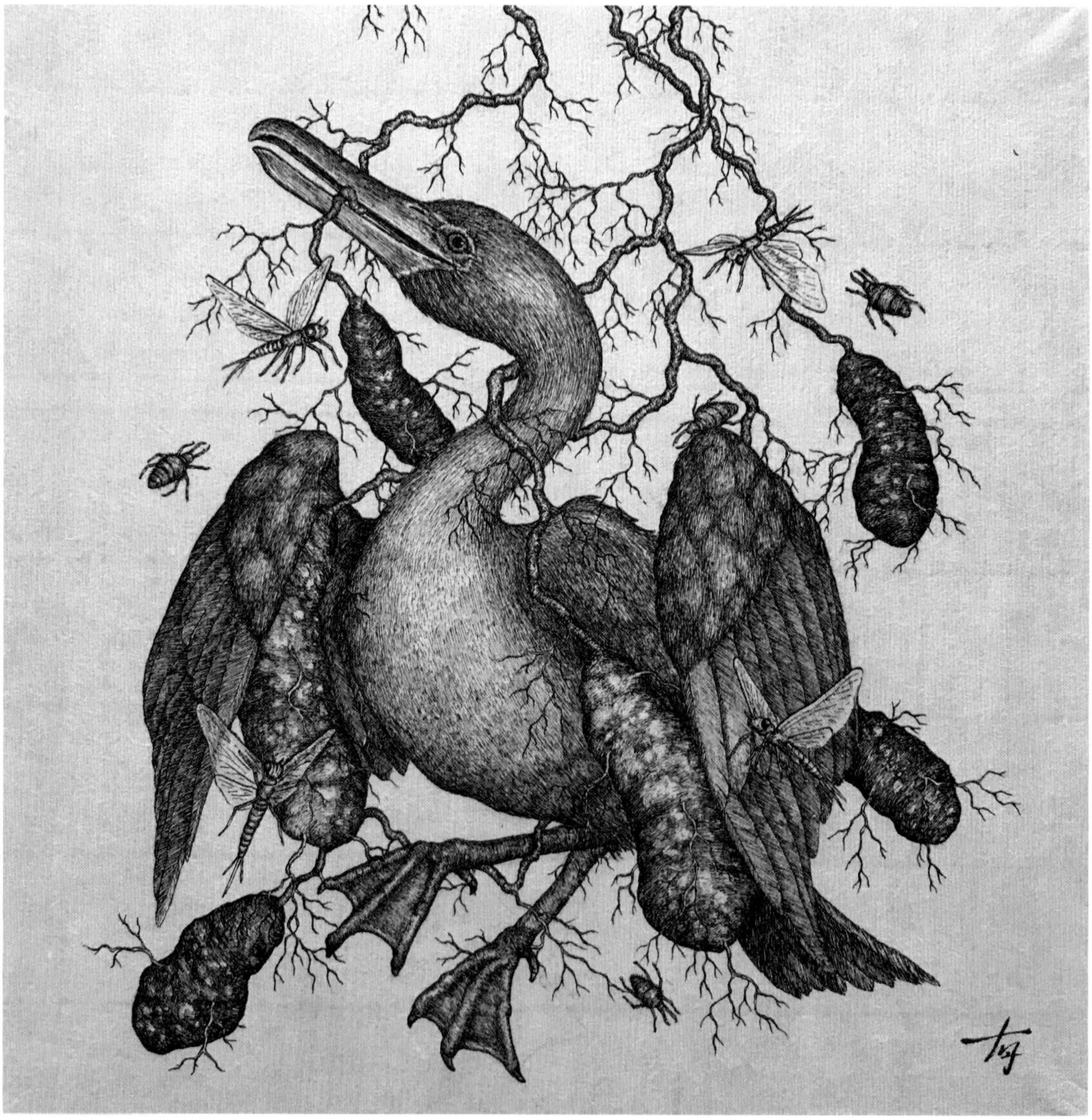

★《拗ける塊茎と鵜》2019年、227×227mm、インク / 和紙・パネル

★《無碍を想う》2019年、200×500mm、インク / 和紙・パネル

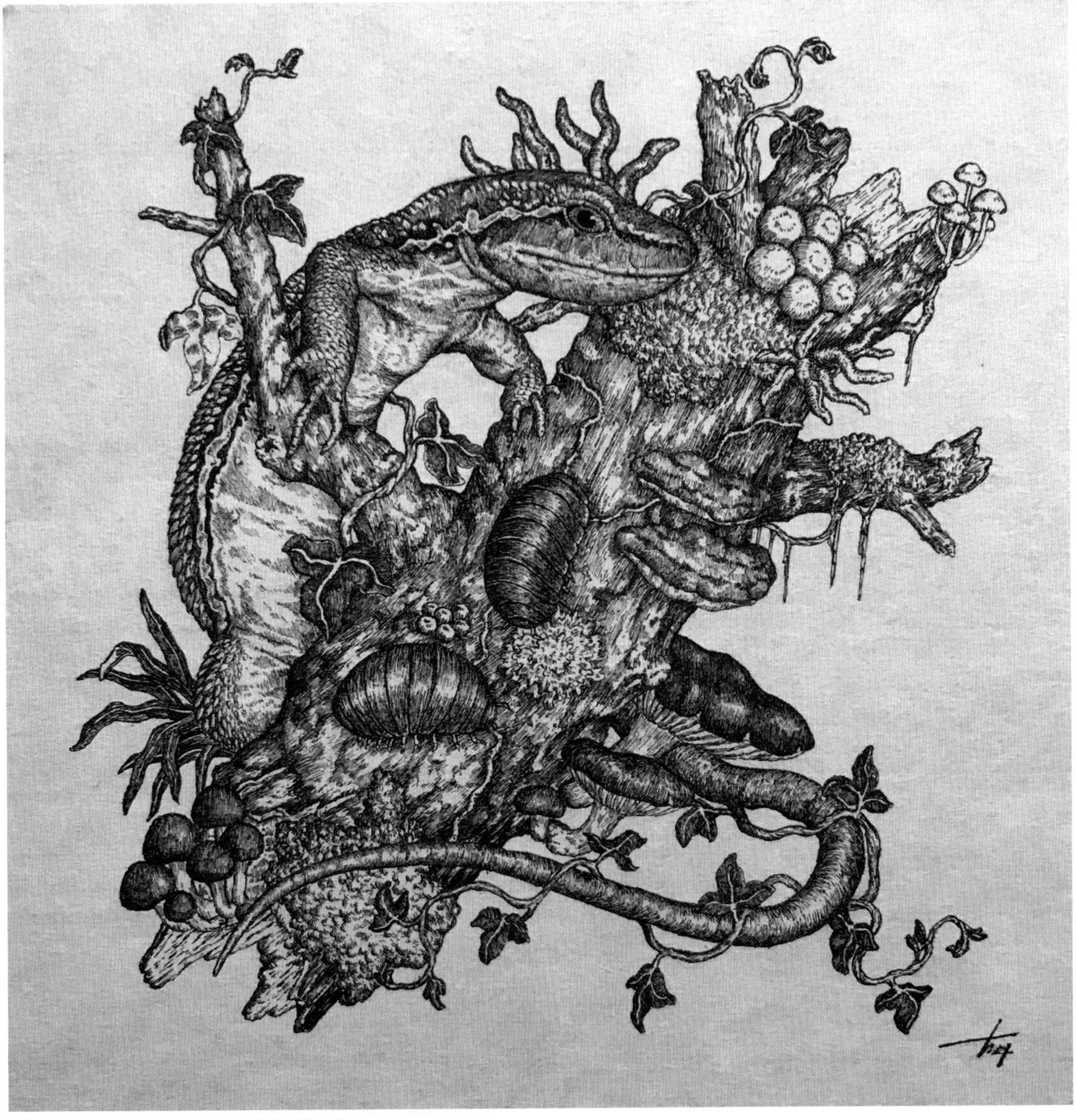

★《湿る木と石竜子》2019年、227×227mm、インク / 和紙・パネル

既成概念の及ばない、動植物が渾然一体となった光景

主につけペンを用いて、動物や植物を細密に、非常にリアルに描き出した絵画。図鑑のようだ……と思いきや、よく見れば何か不思議な画面だ。動物や植物が絡み合い、もつれ合い、木の根がタコの足になり、タケノコの根から亀が顔を出し、鯉と小鳥らが一緒に宙を舞う。人以外の動植物が渾然一体となって、見たことのない情景を形作っている。

村山大明《ともあき》は、1989年、京都生まれ。京都といっても山村で育ち、いまも都会を離れ、山にほど近い自然豊かな環境の中で暮らしているという。「山の中では全てが一体となり、人の認識による境界はありません」と村山は記している。『山の中では、木の根が岩を飲み込み、死んだものから生き物が生まれ、足元にはコケの森が広がり、頭の上は大木が私を覆っています。無数のものが一つになった空間では、言葉も必要なく、人間の解釈など無意味であると思えてきます』。そうした感覚から、さまざまなものが一体化した絵画が生み出される。われわれの既成概念は、そこでは通用しない。

　そしてさまざまなものが渾然一体となっていると言っても、そこには自然を無理矢理変異させた奇形的なものは見られない。あくまでも自然をリスペクトし、その混沌から生まれる魅力を描き出す。

　村山は細密な作品の一方、太めのペンを使った壁画のような作品も制作しており、スナバ・ギャラリーの個展のあと、今後はそうした手法に注力していきたいと、ツイッターでつぶやいていた。ペン画を切り抜いた立体作品を作ったりもしている。新たな展開に期待したい。

（沙月樹京）

★《無題》2019年、4000×2070mm、油性インク / キャンバス

※村山大明 個展「絡み合う鼓動」は、2019年11月16日〜20日に、大阪・中崎町のSUNABAギャラリーにて開催された。

★《逆光》1985年、91×116.7cm、キャンバスに油彩

HIKAGE Gen

日影　眩

◉文=志賀 信夫

★《今何時?》1987年、130×162cm、キャンバスに油彩

★（左頁）《地下鉄電車》1988年、80.3×65.2cm、キャンバスに油彩

★《お帰りなさい》2006年、96.5×147.3cm、キャンバスに油彩

★《真夏日》1991年、129.5×160cm、キャンバスに油彩

★《神はアメリカを祝福する》2007年、127×162.6cm、キャンバスに油彩

仰視は反社会的視点であり、同時に、地にいる虫や蛙の目のアングルでもある

★《ウエスト・ブロードウエイ》2008年、112×162.5cm、キャンバスに油彩

★《ソーホーの3人の女性》2015年、127×162cm、キャンバスにアクリルと油彩

80年代からローアングルの作品で注目され、いまも天衣無縫に、感性に従った絵を描き続ける

日影眩は、一九三六（昭和一一）年生まれの美術家だが、それを感じさせないポップな感覚のある作品を描き続けている。特徴はローアングル。美学者・谷川渥が、その一部の作品について、「仰視のエロティシズム」と述べたが、絵画作品自体はエロティシズムにとどまらない。ニューヨークの街の風景を切り取り、見上げる空とともに、都市の現在を映し出す。近年は、そこに描かれる男女の姿が、部分的に文字通り切り取られている。仰視は、天から地を見る俯瞰、鳥瞰という鳥や神の視点とは真逆で、地面を這う虫や蛙の視点である。美術評論家・瀬木慎一は、日影のこの視点を、「フログズ・アイ」と名付けた。

神戸でグラフィックデザイナーとして出発、横尾忠則とも交流があった日影はその後、イラストレーターとして活躍していたが、九〇年代にニューヨークに渡り美術家として二〇年以上活動。同時にしばらくニューヨーク通信を発信し続け、それは書籍にもなっている。そして現在は日本でポップな「墜落」の作品も発表している。

「絵の天才」と呼ばれた子ども時代

日影は二歳のときに、弟が生まれるときの産婆に、「鯛の絵を描いて」と迫った。弱った産婆が渋々描いた絵を見て、「それはネズミや。鯛はこう描くのや」と鯛の絵を描いて見せて産婆を仰天させた。親はそんなエピソードを小さいときから語り、まわりから「トンビがタカを生んだ」といわれたと自慢していたそうだ。

そして、戦争が終わって疎開先から明石市の小学校に転校したときには、戦後すぐで教師が休み自習が続く教室で、日影

★《独立記念日のショッピング》2013年、111.5×162cm、キャンバスにアクリルと油彩

が絵を落書きするのを多くの友だちが取り囲んだ。暗くて見えないほど集まったので、整理する友だちがいたほどだったという。そして当時の日影少年は、近隣で知らぬものはいない「絵の天才」だったらしい。

神戸でデザイン運動に関わる

日影は、その絵の評判のために、中学一年生のときには、神戸の紙芝居の貸し元に頼まれて、紙芝居のシリーズを二巻ほど描いた。その紙芝居は彼の住んでいた街にも毎日やって来たので、そのことは、地元の子どもたちもみんな知っていた。紙芝居の絵を描く子どもがいると、神戸の画家たちの間でも知られていたらしい。

そのため、両親は美術の道に進むことは当然だと思っていた。だから父親は、神戸の図案家、いまでいうグラフィックデザイナーを紹介され、その仕事場に日影を連れて行った。神戸はまだ焼け跡にバラックの状態だったが、その図案家に弟子入りする。ところが、半年もしないうちに彼が腎臓病になり、日影は図案家として独立することになる。すでに「溝差し」を使って線を引く技法も身に付けていた。溝差しとは先端が丸い棒で、定規の溝に当てて、それと平行に持った版下筆でまっすぐの線が描ける。このような技術で図案家の仕事ができた。当時デザインしたマッチのラベルが残っている。

その先生に紹介されて、神戸の新開地にあった写真製版所で版下の仕事を始める。アシスタントの給料は三〇〇〇円ほどだったのが、いきなり一七〇〇〇円くらいになって驚いたという。その製版所は、新聞社や神戸のさまざまな印刷所から仕事が入り、デザインの仕事も多く、仕事を求めて大勢の図案家が出入りしていた。

ちょうど戦後経済が復興して景気が回復してくる時期で、東京で日本宣伝美術会

★《サッカーボール》1982年、80.3×60.6cm、キャンバスにアクリル

（日宣美）が結成され、神戸の神戸宣伝美術家協会（神宣美）で、日影は最年少会員になる。トントン拍子で道が開け、神戸中の主要デザイナーたちと知り合った。

その会の若いメンバーを集めてデザイン運動をしようという人が現れて、日影もその会「NON」の会員になる。その後、横尾忠則も会員になり、交流する。日影は若く右も左もわからないが、自分の描写力だけが頼りだった。

だが、それが否定されてしまう。日影は市川雷蔵の平家物語のポスターをデザインしたのだが、年長の友だちに、「こういう写実はダメだ」と徹底的に批判された。当時の若いデザイナーたちは、抽象が最先端と思っていたからだ。だがその友だちは批判したあとで、「しかし、うまいな」と漏らしたそうだ。

それで日影は週一回、具体（具体美術協会）の設立会員の一人、吉田稔郎の家で開かれていた会で、最新のデザインやアートについて勉強する。一九五四年に具体美術協会が設立された同じ年のことだ。そして、日影は、みすず書房の原色版美術ライブラリーなどを毎回、待ち望んで買って勉強した。ただ、こういったアートの紹介なども、占領国アメリカの徹底した洗脳工作だったと、当時のCIAのエージェントが最近あかしている。この画集の作品のほとんどは、MoMA（ニューヨーク近代美術館）の収蔵作品で構成されていた。

上京して高校・大学で学び直す

こういった猛勉強のおかげで、数年後に会からも推薦されて、神戸電通に入社が決まる。日宣美（会）奨励賞ももらっていた。日宣美（賞）にも準入選、神宣美（会）奨励賞ももらっていた。だが、尊敬していた大阪電通のコピーライターが入社に反対する。「まだ若いから東京に出て勉強しろ」と。高校中退だった日影にも、

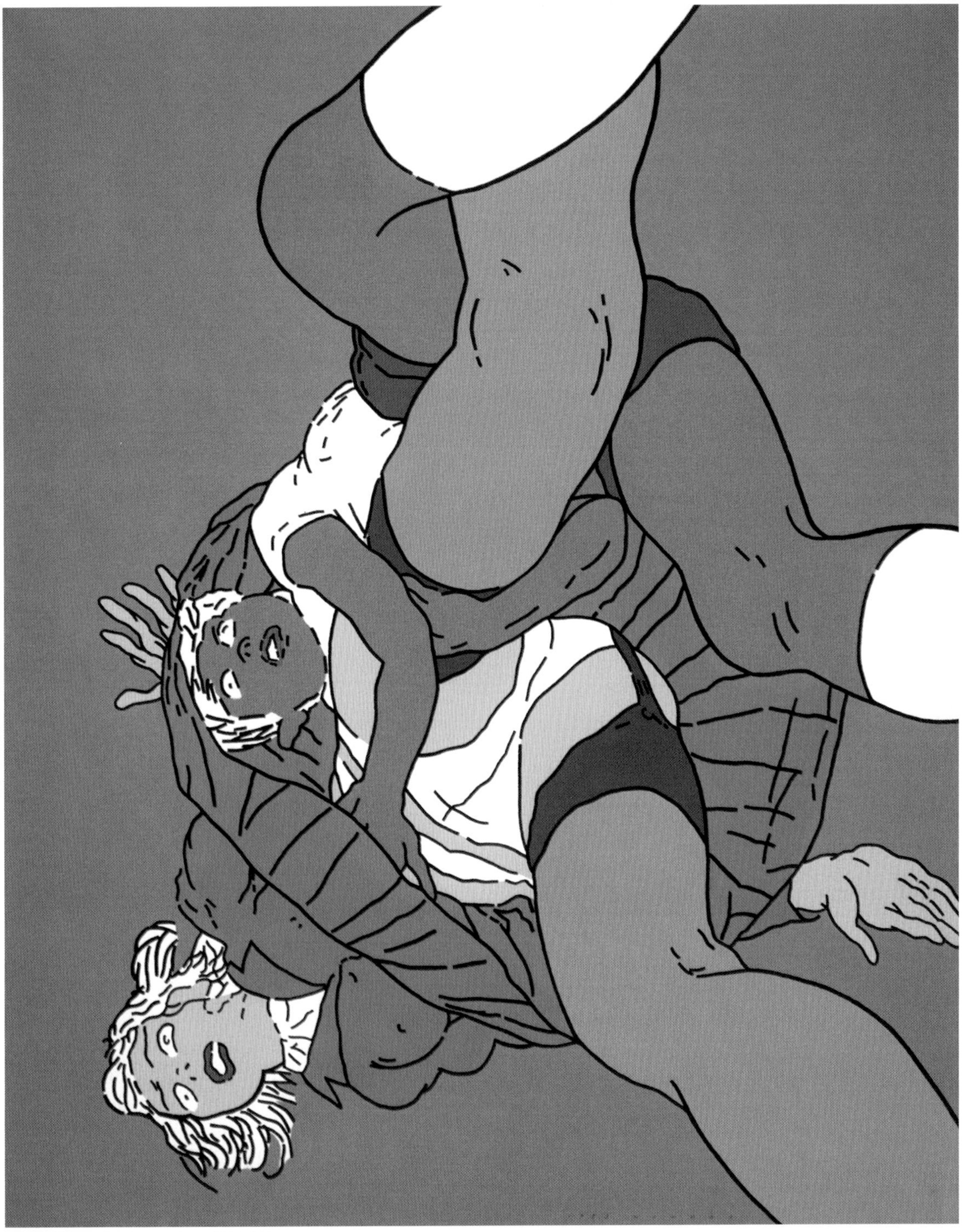

★《スモウ》1983年、80.3×65.2cm、キャンバスにアクリル

勉強したい潜在的願望があった。電通の営業も芸大や東大、阪大や同志社大卒業の高学歴で、英語もしどろもどろの日影は歳も若いし、圧迫を感じていた。

それで何のツテもなく、友人の一人と上京して、改めて高校に通いながら、デザインの仕事をする。入ったのは法政第一工業高校の建築科で、アートと関係のある建築を勉強する。そして、付属なので法政大学哲学科に入学する。その後、そのコピーライターの紹介で博報堂で多木浩二ともデザインの仕事をすることになる。

日影が法政大学の哲学科を出たときには、三〇歳を過ぎ、大きく出遅れてしまっていると感じて、当時ブームだったイラストレーターになろうと試みる。子どものとき以来の自分のスタイルを選び、漫画や劇画、紙芝居風の絵で、当時は反発のほうが強かった。そうして、下からの視線という描き方を獲得して、広く知られることになる。

仰視という視線

仰視、下からの視線は、日影にとっては、まず特に女性を下から見るということだ。それはもちろん覗きとかセックスにつながる。日影自身は、浮世絵やフックスの風俗画集、レンブラントのスカートの中を覗くフルート吹きのエッチング、そしてピエール・クロソウスキー体験をあげる。パンティを見せた少女で知られるバルテュスの兄で、画家・小説家だが、そのクロソウスキーの文章で、パンティの下からの覗き的描写があったことを日影は覚えている。

谷川渥は、この仰視の視線について、イタリア美術史において、「ソッティンスー(di sotto in su)という技法があるという。これは、天を仰ぎ見るような描き方で、マンテーニャなどの絵画、天井絵画などの描き方だ。また、下から見る視線の欲

★《ゆりかもめ》2018年、80.3x60.6cm、キャンバスに油彩

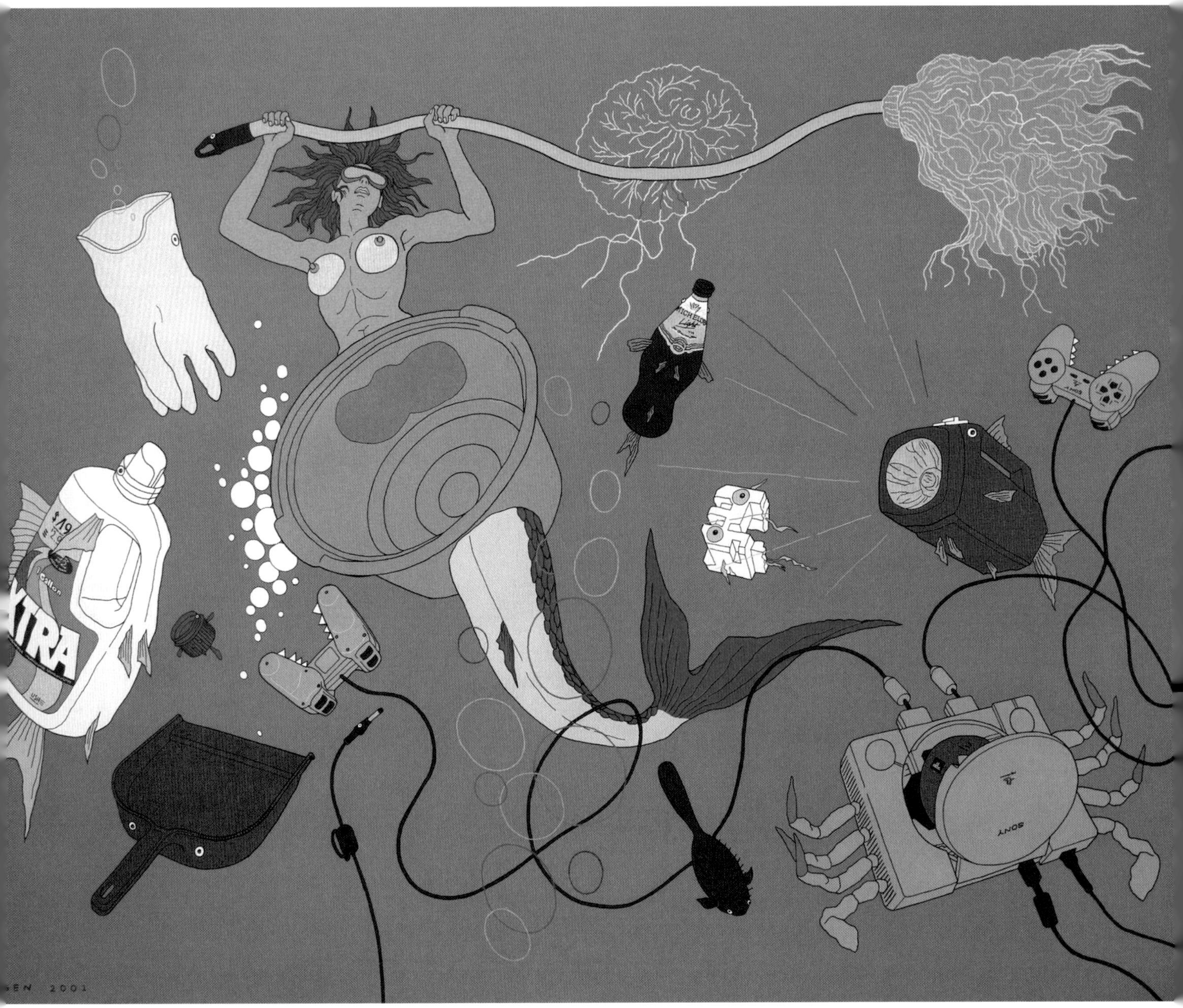

★《私の水族館》2002年、127×162.5cm、キャンバスに油彩

望は、見られる者の欲望、さらにそれを外部から見る者の欲望とも重なるとする。

そして日影の中では、この仰視の視線は、戦時中に疎開先で空中戦の絵を描いていたこととつながっているという。その空からの視点とは反対に、地からの視点、虫や蛙の目のアングルが浮上すると日影は考えている。

新しい表現を求めニューヨークへ

デザイナーで食べながらも、日影はアーティストとして生きようと考えていた。そのため、個展を開く。最初は写真を使う作品で、神田の田村画廊だった。その個展の最中に日刊スポーツ紙から映画監督、実相寺昭雄の小説の挿絵を依頼された。

その作品によって個展を開くと、下からのアングルが注目されて写真週刊誌『フォーカス（Focus）』に取り上げられ、広く知られるようになり、ローアングルの絵画がスタートすることになる。

その後、『漫画サンデー』『コミックモーニング』でも連載を依頼され、イラストレーターとしてもメジャー誌に進出を果たす。だがやがて、イラストの依頼を断ってアーティストに専念することを決める。このとき日本の前衛パフォーマンス集団、ゼロ次元代表の故・加藤好弘に、「雑誌の仕事をやめるな」「日本でアートといえるのは漫画や劇画しかない」といわれた。

日影は九〇年代になると、父親が亡くなり、関西に戻る必要がなくなり、円高で一ドルが一〇〇円に近づいたこと、年齢が高くなり、いま行かなければ行くチャンスを失うと思って、ニューヨークに行くことになる。

初めて訪れたニューヨークで売り込んで、商業画廊からグループ展のメンバーに加えられるなどの反響があった。当初は一年ほどで帰るつもりだったが、『月刊ギャ

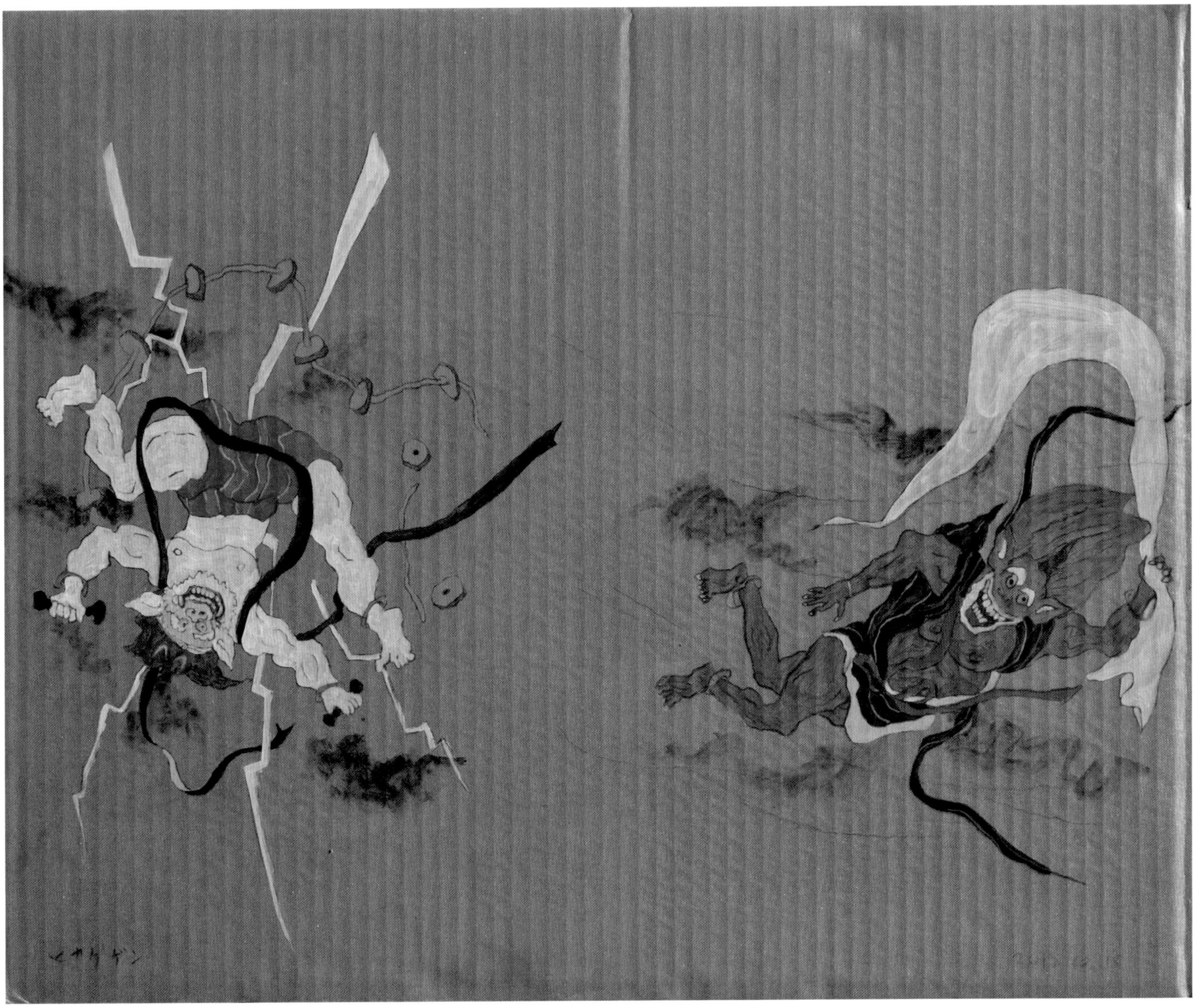

★《落ちる風神雷神》2019年、49.5x61.5cm、ダンボールに木炭とアクリル

★（右頁）《ターザン ロストワールド》2019年、28.0x19.8cm、ダンボールにマーカーとアクリル

ラリー』誌の協力で、五年の特派員ビザが取れてしまった。当時、ニューヨークの画廊は、写真やビデオ、インスタレーションなどコンセプチュアリズムに変わっていた。

ニューヨークには、金澤毅氏などの紹介で、日本人美術家に世話になって移住し、いろいろ助けられた。日本人・日系人美術家展覧会のメンバーになり、年に一度のグループ展にも参加。篠原有司男、川島猛、木村利三郎、佐藤正明などと交流し、『月刊ギャラリー』の連載でも取り上げた。さらに鳥光桃代や平川典俊など若い世代、現地の美術家やギャラリストなどとの交流と当時の活動は、後に著書『日影眩の360°のニューヨーク』（ギャラリー・ステーション）にまとめた。日影はそして、ニューヨークと人々をテーマにし、常に新しい表現を求めてきた。

日影は、日本とアメリカのアートにおける違いについて、日本は抽象、シュルレアリスム、抽象表現主義といった西洋美術史的なカテゴリーで美術をとらえることが多いので、教養主義的になりがちだと指摘する。また、アメリカでは、そのカテゴリーを破っていくのがアートと考えられているが、それが概念化し繰り返しになってしまっていると述べる。

影響を受けた美術家としては、パウル・クレー、ヴィクトル・ヴァザルリ、フランシスコ・デ・ゴヤ、エドワード・ホッパー、ピエール・クロソウスキーとバルテュス兄弟をあげた。そして、ニーチェ、ハイデガー、ジャン・ボードリヤールなどの著作を読んでいる。

そして、今後は西洋の影響を極力排除し、感性に従う絵を描き、天衣無縫に生きたいと結んだ。

（志賀信夫）

JINGUJI Hikaru

神宮字 光

◉文＝沙月樹京

★《少女》2019年、オールビスク

コンピュータ上でのモデリングによって生まれた精緻な人形

★（左頁左）《林檎あたまの少女》2019年、ビスク・樹脂
（左頁右）《少女》2019年、オールビスク

※p.102-107は、スパンアートギャラリーでの個展の展示風景
p.108-110は、「COCON」収録写真の別バージョン

★（上）《少女》2019年、オールビスク
（下）《少女》2019年、オールビスク

★《天使》2019年、オールビスク

★《少女》2019年、オールビスク（下の写真も）

★《少女》2019年、オールビスク

★《少女》2019年、オールビスク

★《少女》2019年、オールビスク

★《少女》2019年、オールビスク

★《少女》2016年、モデリングキャスト

神宮字の人形には粘土を使って制作したものもあるが、昨今多く取り組んでいるのが、3Dプリンタの出力を原型にして作り上げたビスクドールである。手を使って造形していく作業をコンピュータ上でのモデリング作業に置き換え、造形の繊細さと、プリンタの精度や焼成の出来具合のバランス等、さまざまな条件を試行錯誤しながら制作している。

昨年12月におこなわれた作品集「COCON」の出版記念展では、さまざまにポーズを変えて自在な動きを実演したり、球体関節の形状やら瞳の輝き具合やら、腐心した部分を楽しそうに説明する神宮字の姿があった。その「COCON」を開けば分かるように、そこでは、単に椅子に座らされたり、寝かされたりといったものとは違う、ドラマの一シーンを演じているかのように、いきいきとポーズを決めている人形たちが次々と登場する。人形の顔の表情自体も、とても愛らしい。

だがその表情をよく見てみれば、ぱっちりと目を見開いている人形もあるが、目を閉じていたり、半分閉じかけているものも少なくない。人形は顔が命、というのは、とある人形メーカーのよく知られたキャッチコピーだが、顔の中でもとりわけ目は重要だろう。その瞳の視線によって人と人形は会話を交わす。しかし神宮字の人形は、その目を閉じ、夢の世界にまどろんでしまうのである。

眠りは神宮字にとって特別な思いがあるそうだ。だがそれを知らずとも、観る者はまどろむ人形の姿に安らかな思いを抱くだろう。われわれをも穏やかな眠りの世界に導いてくれ、一緒に夢を見る間柄となる。

そしてある意味、そこで見る夢こそ、作品集にあるような、人形たちの遊ぶドラマのような情景なのかもしれない。神宮字の代名詞とも言える、愛らしいビスクのウサギ作品も含め、無邪気に人形たちと戯れることができるとしたら、そこはまさに理想郷だ。

神宮字は、4月にも個展が控えている。少年人形を中心とした個展を開く。タイトルには「少年」とあるが、少女人形も含めた集大成的な展示になるという。人形たちの夢の世界を、ぜひ訪れてみたい。

（沙月樹京）

ドラマのシーンのように人形がいきいきと遊ぶ世界を夢見る

★《少女》2019年、オールビスク

★神宮字光 人形作品集「COCON」
A5判・64頁・ハードカバー・税別2700円
好評発売中!
発行：アトリエサード／発売：書苑新社
詳細は http://www.a-third.com/

★神宮字光個展
「銀河鉄道～少年とうさぎⅡ」
2020年4月3日（金）～26日（日）
金土日祝のみオープン
金13：00～20：00、土日祝12：00～19：00
入場料500円
場所：東京・浅草橋 パラボリカ・ビス
Tel.03-5835-1180
http://www.yaso-peyotl.com/

※「神宮字光 COCON 出版記念展」は、2019年12月7日～12日に、東京・銀座のスパンアートギャラリーにて開催された。

※スパンアートギャラリーは、2020年2月に東京・京橋に移転オープン。詳細は https://span-art.com/

◎TH Art series

◎新刊

高田美苗 作品集「箱庭のアリス」
978-4-88375-393-2／B5判・64頁・ハードカバー・税別2700円
●混合技法によるタブローから銅版画まで、少女をモチーフとした夢幻世界を描き続ける高田美苗の軌跡を集約した、待望の作品集!

たま(絵) 最合のぼる(文・写真・構成)
「夜間夢飛行～暗黒メルヘン絵本シリーズ2」
978-4-88375-392-5／B5判・64頁・カバー装・税別2255円
●《暗黒メルヘン絵本シリーズ》第2弾は少女主義的水彩画家・たまが登場! 「残酷で愛らしい、手加減なしの毒入り絵本です」─林美登利

黒木こずゑ(絵) 最合のぼる(文・写真・構成)
「一本足の道化師～暗黒メルヘン絵本シリーズ1」
978-4-88375-370-3／B5判・64頁・カバー装・税別2255円
●妖しい世界へいざなう、絵と写真によるヴィジュアル物語! アンデルセンなどの童話を元に生まれた《暗黒メルヘン絵本シリーズ》第1弾!

森環 画集「ネコの日常・非日常」
978-4-88375-388-8／四六判・64頁・ハードカバー・税別2200円
●ファッション大好き、読書も好きで…ほんとにネコって、不思議! そんなネコのくらしをのぞいてみた、かわいくてちょっぴり奇妙な画集!

神宮字光 人形作品集「Cocon」
978-4-88375-378-9／A5判・64頁・ハードカバー・税別2700円
●ビスクなどで作られた愛おしい人形達がさまざまなシチュエーションの中で遊ぶ、かわいくも、ときにシュールでミラクルな世界!

田中流 球体関節人形写真集「Dolls～瞳の奥の静かな微笑み」
978-4-88375-373-4／A5判・96頁・カバー装・税別2300円
●若手からベテランまで、多彩なタイプの球体関節人形を撮影し、その魅力とともに、現代の創作人形の潮流をも写した写真集!!

珠かな子 写真集「いまは、まだ見えない彗星」
978-4-88375-371-0／B5判・64頁・ハードカバー・税別2700円
●私にとってセルフポートレートは〝可愛さと強さの育道〟だ。私たちには無数の未来があって、女の子は強くなれる。待望の写真集!!

◎少女系画集

たま 画集「Calling～少女主義的水彩画集VI」
978-4-88375-357-4／B5判・52頁・ハードカバー・税別2750円
●“現代の少女聖画”。ダーク＆キュートな作品で人気のたまの画集、第6弾! 折込み塗り絵や、中野クニヒコによる立体作品も収録!

たま 画集「Fallen Princess～少女主義的水彩画集V」
978-4-88375-221-8／B5判・48頁・ハードカバー・税別2750円
●お姫様系、エロちっく系、食べ物系など、たまならではのダーク＆キュートな秘密の乙女の楽園がたっぷり! 待望の画集第5弾!

安蘭 画集「BAROQUE PEARL～バロック・パール」
978-4-88375-213-3／A5判・72頁・ハードカバー・税別2750円
●哀しみや痛みなどを包み込み、いびつだからこそ心を灯す、安蘭の“美”。耽美画家・安蘭の約10年の軌跡を集約した待望の画集!

深瀬優子 画集「Kingdom of Daydream～午睡の王国」
978-4-88375-167-9／A5判・64頁・ハードカバー・税別2750円
●油彩とテンペラの混合技法などによりメルヘンチックで愛らしく、でも少しシュールな作品を描き続けている深瀬優子の初画集!

長谷川友美 画集「The Longest Dream」
978-4-88375-198-3／A5判・64頁・ハードカバー・税別2750円
●自ら、絵に物語を添えた長谷川友美 初画集! 夢の断片のような、ささやかな寓話が織りなす不思議で素朴な幻想世界。

須川まきこ 画集「melting～融解心情」
978-4-88375-137-2／A5判・112頁・ハードカバー・税別2800円
●欠けていることのエレガンスをセンシティブに描く須川まきこ待望の画集! 〝まるで わたしは つくりものの 人形〟

根橋洋一 画集「秘蜜の少女図鑑」
978-4-88375-154-9／A5判・64頁・ハードカバー・税別2800円
●原色に埋もれたイノセントでセクシュアルな少女たちのコレクション! 少女への幻想に彩られた根橋洋一の世界を集約した処女画集!!

こやまけんいち 画集「少女たちの憂鬱」
978-4-88375-096-2／A5判・64頁・ハードカバー・税別2800円
●痛みと遊ぶ少女たちを繊細に描く。女の子たちは完全すぎて、傷つけないではいられない。鋏で、サクリと。─西岡智(西岡兄妹)

◎杉本一文画集

「杉本一文『装』画集～横溝正史ほか、装画作品のすべて」
978-4-88375-287-4／A4判・128頁・カバー装・税別3200円
●横溝正史といえば、杉本一文。数多く手がけてきた装画作品の中から、横溝作品を中心に約160点を精選して収録した待望の画集!!

「杉本一文銅版画集」
978-4-88375-286-7／A5判・128頁・カバー装・税別2500円
●幻想とエロスの桃源郷──杉本一文のもうひとつの顔、銅版画の代表作を装画作品から蔵書票まで約200点収録!

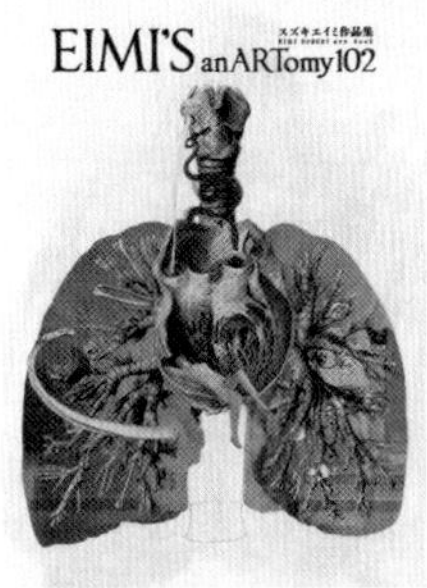

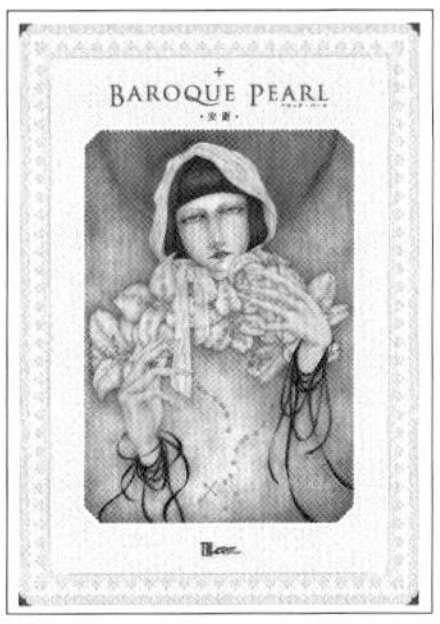

◎幻想画集

スズキエイミ 作品集「Eimi's anARTomy 102」
978-4-88375-358-1／B5判・64頁・ハードカバー・税別2750円
●“美の本質は肉体、肉体の本質は死”。名画などを巧みに組み合わせて作り上げられた解剖学的でシニカルな美の世界。国内初の作品集!

森環 画集「愛よりも奇妙～Stranger than love」
978-4-88375-264-5／B5判・64頁・ハードカバー・税別2750円
●なんて奇妙な、ワンダーランド! 「ボローニャ国際絵本原画展」入選など、不思議な世界観で人気の画家の幻想的な鉛筆画集!

椎木かなえ 画集「同じ夢～Same Dream～」
978-4-88375-252-2／A5判・64頁・ハードカバー・税別2750円
●闇に住まう人の、いびつな愛と、不穏な夢。奇妙で秘儀的な心象風景が、観る者を夢幻の世界へ導く、椎木かなえの初画集!!

町野好昭 画集「La Perle(ラ・ペルル)─真珠─」
978-4-88375-132-7／A5判・64頁・ハードカバー・税別2800円
●中性的な少女の純化されたエロスを描き続けてきた孤高の画家、町野好昭の幻想世界をよりすぐった待望の作品集!

◎人形・オブジェ作品集

清水真理 人形作品集「Wonderland」
978-4-88375-364-2／B5判・64頁・ハードカバー・税別2750円
●肉体と霊魂、光と闇、聖と俗…それらの狭間で息づく、人形たちのワンダーランド。多彩な活躍を続ける清水の近年の作品の魅力を凝縮!

清水真理 人形作品集「Wachtraum(ヴァハトラウム)～白昼夢」
978-4-88375-217-1／A5判・64頁・ハードカバー・税別2750円
●映画「アリス・イン・ドリームランド」に提供した人形(田中流撮り下ろし)や、吉成行夫撮影の吸血鬼シリーズなど満載の人形作品集。

芳賀一洋 作品集「錠前屋のルネはレジスタンスの仲間」
978-4-88375-331-4／A5判・224頁・並製・税別2222円
●リアルにつくり上げられた驚きのミニチュア・ワールド! はが いちよう の 抒情あふれる世界をおさめた、ノスタルジックな作品集。

ホシノリコ 作品集「蒼燈のばら」
978-4-88375-326-0／B5判・64頁・ハードカバー・税別2750円
●艶かしく息づく球体関節人形、幻想的な物語奏でるオブジェ。ホシノの10年の歩みをまとめた待望の作品集! 写真＝吉田良、田中流

与偶 人形作品集「フルケロイド FULLKELOID DOLLS」
978-4-88375-265-2／A5判・68頁・ハードカバー・税別2750円
●園子温推薦! 多くの人の心に突き刺さっている、凄みのある作品たち。20年の作家生活をここに総括。横4倍になる綴じ込み2枚付!

木村龍 作品集「光速ノスタルジア」
978-4-88375-245-4／B5判・96頁・ハードカバー・税別3500円
●ボックスアートから彫像的作品、球体関節人形、絵画などまで、妖美で奇矯、かつ純真な世界を濃密に凝縮した、待望の初作品集!!

林美登利 人形作品集「Night Comers～夜の子供たち」
978-4-88375-288-1／A5判・96頁・ハードカバー・税別2750円
●異形の子供たちは、夜をさまよう──「Dream Child」に続く、人形・林美登利、写真・田中流、小説・石神茉莉のコラボ、第2弾!

森馨 人形作品集「Ghost marriage～冥婚～」
978-4-88375-236-2／B5判・64頁・ハードカバー・税別2750円
●妖しい美しさと、哀しいエロスを湛えた、森馨の球体関節人形。その蠱惑的な肢体を写真家・吉成行夫が撮影した、闇の色香ただよう写真集!

北見隆 作品集「本の国のアリス～存在しない書物を求めて」
978-4-88375-223-5／A5判・64頁・ハードカバー・税別2750円
●本そのものが、「アリス」の物語の、愉快な舞台〈ワンダーランド〉に! 本の形をした“ブックアート”を中心に、不思議な物語に満ちた作品集!!

菊地拓史 オブジェ集「airDrip」
978-4-88375-229-4／A5判・64頁・ハードカバー・税別2750円
●「夢と現の境を揺蕩う、幻視の錬金術師」─手塚眞。菊地拓史が贈るオブジェと言葉のブリコラージュ。その世界を本で表現した一冊。

◎写真集

村田兼一 写真集「月の魔法」
978-4-88375-354-3／B5判・96頁・ハードカバー・税別3200円
●禁忌を解く魔法──月乃ルナをモデルに生み出された、マジカルで濃密なエロスに満ちたおとぎの世界。

美島菊名 写真作品集「HOPE」
978-4-88375-308-6／B5判・64頁・ハードカバー・税別2750円
●少女よ あなたは 世界を変える──少女の無垢と欲望を、インパクトあるヴィジュアルで表現してきた美島菊名、初の写真作品集!

谷敦志 写真集「Flowers and Nudes」
978-4-88375-284-3／A4判・64頁・ハードカバー・税別3800円
●透き通るような静けさをまとう、ヌードと花。進化し続ける孤高のアーティストの「今」が詰まった、最新写真集! A4サイズの豪華版!

谷敦志 写真集「アンビバレンス」
978-4-88375-148-8／A5判・64頁・ハードカバー・税別2800円
●ダークでカオティック、フェティッシュでアヴァンギャルド、そして最高にスタイリッシュ! 異型の写真家の処女写真集!!

◎ExtrART (エクストラート)〜異端派ヴィジュアルアート誌

file.23◎FEATURE:秘めた、この思い
A4判・112頁・並装・1200円 (税別) ・ISBN978-4-88375-385-7
●池田ひかる、新宅和音、谷原菜摘子、野原tamago、井桁裕子、朱華、日野まき、菊地拓史・森馨、田中流、渡邊光也、千葉和成、TOKYO 2021 美術展

file.22◎FEATURE:隠されていた"美"
A4判・112頁・並装・1200円 (税別) ・ISBN978-4-88375-372-7
●蛭田美保子、スズキエイミ、椎木かなえ、たま、Kamerian.、ディナ・ブロツキー、井上洋介、生熊奈央、衣 (はとり)、垂狐、ベルリン・悪魔の山 ほか

file.21◎FEATURE:うつろう、イメージ
A4判・112頁・並装・1200円 (税別) ・ISBN978-4-88375-360-4
●菅澤薫、大河原愛、有坂ゆかり、大塚咲×七菜乃、夜乃雛月、ニコライ・バタコフ、亜由美、櫻井紅子、吉田有花×ある紗、大島哲以 ほか

file.20◎FEATURE:夢幻の国を逍遥する
A4判・112頁・並装・1200円 (税別) ・ISBN978-4-88375-346-8
●佐久間友香、木村了子、中村キク、永井健一、長谷川友美、P.ファーガソン、池島康輔、須川まきこ、立島夕子、こやまけんいち、松下まり子 ほか

file.19◎FEATURE:その存在の、ミステリアス
A4判・112頁・並装・1200円 (税別) ・ISBN978-4-88375-338-3
●藤井健仁、棚田康司、モリケンイチ、後藤温子、中井結、トロイ・ブルックス、ホシノリコ、新竹季次、中川ユウヰチ、宮本香那、江村玲 ほか

file.18◎FEATURE:イノセンスが見る夢
A4判・112頁・並装・1200円 (税別) ・ISBN978-4-88375-323-9
●美島菊名、Risa Mehmet、泥方陽菜、雨宮沙月、月夜乃散歩、ローズ・フレイマス-フレイザー、松永賢、勝野眞言、高松ヨク ほか

file.17◎FEATURE:説話的世界へようこそ
A4判・112頁・並装・1200円 (税別) ・ISBN978-4-88375-315-4
●夢島スイ、フォレスト・ロジャース、深瀬優子、ある紗、渡辺つぶら、ごとうゆりか、佐藤久雄、大江慶之、安蘭、ドイツのグラフィティ ほか

file.16◎FEATURE:心の中の原初の光景
A4判・112頁・並装・1200円 (税別) ・ISBN978-4-88375-304-8
●白野有、髙木智広、ANNEKIKI、塩野ひとみ、シマザキマリ、シチョルドル、磯村暖、清水真理、西牧徹、澁澤龍彦 ドラコニアの地平 ほか

file.15◎FEATURE:異形の世界に住まう者
A4判・112頁・並装・1200円 (税別) ・ISBN978-4-88375-297-3
●椎木かなえ、熊澤未来子、根橋洋一、土田圭介、林美登利、愛実、カテリーナ・ベルキナ、町田結香、中島祥子、大澤晴美、真木環 ほか

file.14◎FEATURE:幻視者たちの夢想
A4判・112頁・並装・1200円 (税別) ・ISBN978-4-88375-282-9
●謝敷ゆうり、松元悠、日隈愛香、飴屋晶貴、今井亜樹、七菜乃、ヴァルティルソン、与偶、ジョック・スタージス、「Bへのオマージュ」展 ほか

file.13◎FEATURE:意識下に漂う幻想
A4判・112頁・並装・1200円 (税別) ・ISBN978-4-88375-269-0
●谷敦志、キム・ディングル、藪乃理子、吉井千恵、箕輪千絵子、高田美苗、蛭田美保子、夜乃雛月、「白鳥の歌〜死の寓話」展 ほか

file.12◎FEATURE:愛しき、ヒトガタ
A4判・112頁・並装・1200円 (税別) ・ISBN978-4-88375-257-7
●中嶋清八、木村龍、宮崎郁子、清水真理、神宮字光、ジュール・パスキン、池田俊彦、「第20回岡本太郎現代芸術賞(TARO賞)展」 ほか

file.11◎FEATURE:日本画的冒険
A4判・112頁・並装・1200円 (税別) ・ISBN978-4-88375-249-2
●桑原聖美、真条彩華、亀井三千代、「少女の箱庭 biotope」展、ヴィクトリア・ソロチンスキー、森馨、「都築響一 僕的九州遺産」 ほか

◎トーキングヘッズ叢書 (TH Seires)

No.81 野生のミラクル
A5判・208頁・並装・1389円 (税別) ・ISBN978-4-88375-389-5
●野生からわれわれは何を学び、何を表現の糧にしてきたか。ケロッピー前田インタビュー〜野生を取り戻してテクノロジーを乗りこなせ、管理された野生、粘菌、牧神、人豚、八化けタヌキ、シュルレアリスムのアフリカ、スクリーンの変身人間、キム・ギヨンが描く〝オス〟と〝メス〟、異類婚姻譚、動物フォークロア、映画『ZOO』ほか

No.80 ウォーク・オン・ザ・ダークサイド〜闇を想い、闇を進め
A5判・224頁・並装・1389円 (税別) ・ISBN978-4-88375-376-5
●新たな想像力は闇から生まれる。[図版構成] 濱口真央、C7、新宅和音、紺野真弓、宮本香那、萌木ひろみ、谷原菜摘子。タスマニアの美術館MONA、書肆ゲンシシャの驚異のコレクション、日本の闇を感じさせるゲゲゲスポット紀行、闇の文学史〜連鎖する自死、萩尾望都が描き始めた「楽園の裏側」、カタコンブという世界の裏ほか。

No.79 人形たちの哀歌
A5判・240頁・並装・1389円 (税別) ・ISBN978-4-88375-363-5
●[図版構成] 田中流写真作品 (人形＝日隈愛香・SAKURA・ホシノリコ・舘野桂子) ・清水真理・野原tamago・神宮字光、現代の〝生き人形〟〜中嶋清八・井桁裕子・衣・森馨・佐藤久雄、菅実花とリボーンドール、ロボット・アンドロイド演劇の一〇年、映画『オテサーネク』と『マジック』ほか。追悼・遠藤ミチロウなども。

No.78 ディレッタントの平成史〜令和を生きる前に振り返りたい私の「平成」
A5判・256頁・並装・1389円 (税別) ・ISBN978-4-88375-350-5
●私たちが感じ取ってきた「平成」を振り返る。TH的・平成年表、極私的平成の三十年間 (友成純一)、平成ゾンビ考〜「終わりなき日常」から「サバイバル」へ、舞踏の平成、アニメ『どろろ』に見る内実の変容、死体ビデオと90年代悪趣味ブーム、SNSという「ネオ世間」の出現、IT盛衰、「今日の反核反戦展」、酒見賢一論ほか。

No.77 夢魔〜闇の世界からの呼び声
A5判・224頁・並装・1389円 (税別) ・ISBN978-4-88375-340-6
●不穏さに満ちた夢の世界。mizunOE、飴屋晶貴、亜由美、林良文、古代記紀神話から『君の名は。』まで、脳科学の見地から夢を解く、「メアリーの総て」と『フランケンシュタイン』の悪夢、『エルム街の悪夢』、エドガー・アラン・ポー、ラース・フォン・トリアー「ヨーロッパ」と鉄道普及史、孫悟空の異世界彷徨 ほか。

No.76 天使／堕天使〜閉塞したこの世界の救済者
A5判・224頁・並装・1389円 (税別) ・ISBN978-4-88375-330-7
●天使や堕天使から発した想像力。村田兼一、ホシノリコ、『ベルリン・天使の詩』、ボカノウスキー『天使』がいたころ、天使と日本人、イスラムの堕天使たち、「天使の玉ちゃん」と〈失われた子供時代〉、『デビルマン』飛鳥了、熊楠の天使／天子と男色ほか。ジャ・ジャンクー論 (藤井省三)、アジアフォーカス2018レポなども。

No.75 秘めごとから覗く世界
A5判・256頁・並装・1389円 (税別) ・ISBN978-4-88375-316-1
●秘めごとが生む物語。ステュ・ミード、中井結、宮本香那、『檸檬』『四畳半襖の裏張り』などに見る秘めごとの諸相、文学における「告白」、J・T・リロイの事情、自販機本の原稿書きが「映画芸術」の編集長に教えられたこと ほか。小特集としてマッケローニと映画「スティルライフオブメモリーズ」、追悼・ケイト・ウィルヘルム。

No.74 罪深きイノセンス
A5判・224頁・並装・1389円 (税別) ・ISBN978-4-88375-309-3
●無垢への信奉とそれが持つ残酷さ。美島菊名、村田兼一、蟲川ギニョール、Hajime Kinoko、ドストエフスキーと無垢なるもの、わたなべまさこ『聖ロザリンド』と萩尾望都『トーマの心臓』、『悪童日記』と『フランケンシュタイン』、『小さな悪の華』と『乙女の祈り』、少女ポリアンナ、村上華岳、うろんな少年たち ほか。